Heinrich Böll

PRIX NOBEL

L'Honneur perdu
de
Katharina Blum

ou Comment peut naître
la violence
et où elle peut conduire

ROMAN TRADUIT DE L'ALLEMAND
PAR S. ET G. DE LALÈNE

Éditions du Seuil

L'action et les personnages de ce récit sont imaginaires. Si certaines pratiques journalistiques décrites dans ces pages offrent des ressemblances avec celles du journal « Bild », ces ressemblances ne sont ni intentionnelles ni fortuites mais tout bonnement inévitables.

TEXTE INTÉGRAL.

ISBN 2-02-005867-7
(ISBN 2-02-001616-8, 1re publication).

Titre original : *Die verlorene Ehre der Katharina Blum oder : wie Gewalt entstehen und wohin sie führen kann.*
© 1974, Kiepenheuer und Witsch, à Cologne.
© 1975, Éditions du Seuil, pour la traduction française.

L'Honneur perdu
de Katharina Blum

Le mercredi 20 février 1974, tandis que le carnaval bat son plein dans une ville rhénane, une jeune femme quitte son appartement pour se rendre à une réception. Le dimanche suivant, elle sonne à la porte d'un commissariat de police pour déclarer qu'elle vient d'abattre, de plusieurs coups de feu, un journaliste.

Que s'est-il passé ? Comment un être paisible et réfléchi a-t-il été amené à commettre cet acte désespéré ? C'est que, devenue subitement l'héroïne d'un fait divers politique — criminel, diraient certains — et la proie de journalistes sans scrupules, Katharina Blum a, en quatre jours, fait la découverte de l'injustice et l'apprentissage de la révolte.

Car, c'est bien l'histoire d'une révolte que Heinrich Böll, prix Nobel 1972, nous relate ici. Une révolte à double titre, celle de Katharina reflétant celle vécue par l'auteur tout au long de l'année 1972. On se souvient qu'indigné par les débordements mensongers de la presse à sensation contre Andreas Baader et Ulrike Meinhof, il avait pris leur défense dans un article devenu célèbre, et avait vu cette presse se déchaîner contre lui.

Ce n'est pas seulement le procès d'un type de journalisme que l'on intente ici, c'est aussi celui du lecteur qui tolère qu'à coups de demi-vérités ou de demi-mensonges, lui soient livrées en pâture la réputation et l'intimité de ses concitoyens, tandis que l'on nous invite à méditer sur le mal de notre temps : LA VIOLENCE.

Ce récit a été superbement adapté à l'écran par le metteur en scène ouest-allemand Volker Schlöndorff.

Du même auteur

AUX MÊMES ÉDITIONS

Rentrez chez vous, Bogner !
roman, 1954

Les enfants des morts
(Prix du Meilleur Livre étranger)
roman, 1955

Où étais-tu, Adam ?
roman, 1956

La mort de Lohengrin
nouvelles, 1958

Les deux sacrements
(Prix Charles-Veillon)
roman, 1961

Le pain des jeunes années
roman, 1962

La grimace
roman, 1964

Loin de la troupe
nouvelles, 1966

Fin de mission
roman, 1968

Journal irlandais
nouvelles, 1969

Portrait de groupe avec dame
roman, 1973

Une mémoire allemande
entretiens avec René Wintzen, 1978

1

Le compte rendu qui va suivre procède, outre de quelques sources secondaires, de trois sources principales. Ces sources principales, dès à présent citées ici mais pour n'y plus revenir, sont : primo les procès-verbaux des interrogatoires de la police, secundo l'avocat M⁰ Hubert Blorna au profit duquel, tertio, le procureur Peter Hach, ancien camarade d'études, compléta de vive voix — confidentiellement, s'entend — les procès-verbaux desdits interrogatoires, lui expliquant certaines mesures prises par le juge d'instruction et lui révélant les résultats d'investigations non mentionnées aux procès-verbaux, ceci — il est indispensable de le souligner — non pour qu'il en fasse un usage officiel mais à titre d'information strictement privée ; attitude justifiée par sa profonde compassion pour les tourments de son ami Blorna, lequel ne parvenait pas à s'expliquer toute l'affaire quoique « à y bien réfléchir il la trouvât non point inexplicable mais en vérité presque logique ». Comme de toute façon l'affaire Katharina Blum, eu égard à l'attitude de l'accusée et à la position très délicate de son défenseur M⁰ Blorna, relèvera plus ou moins de la fiction, certaines petites incorrections de la part de Hach, bien humaines ma foi, sont sans doute compréhensibles sinon même excusables.

Quant aux sources secondaires, certaines d'assez grande et d'autres de moindre importance, il n'y a pas lieu de les citer ici car la complexité, la confusion, le méli-mélo et l'embrouillamini de leur nature ressortiront clairement du compte rendu.

2

Si celui-ci — puisqu'il est tant question de sources — paraît parfois vraiment « fluide », qu'il nous soit pardonné : c'était inévitable. Compte tenu des « sources » et de leur « écoulement », on ne saurait parler ici de composition et mieux vaudrait sans doute y introduire l'idée de rassemblement ou mieux encore d' « adduction », notion parfaitement claire en vérité pour tout individu qui enfant (ou même adulte) a joué auprès, dans et avec des flaques d'eau, y ouvrant une percée, les reliant entre elles par des rigoles, les vidant, les détournant, jusqu'à ce que la totalité du potentiel d'eau disponible ait été enfin recueillie dans un canal collecteur chargé de déverser le tout à un niveau inférieur, voire même très convenablement dans un égout aménagé à cet effet par les autorités. L'entreprise se limitera donc à une sorte de drainage ou d'assèchement. Parfait processus de mise en état ! Si donc ce récit prend parfois l'allure d'un fleuve où les équilibres et les différences de niveau jouent un rôle évident, nous demanderons l'indulgence du lecteur car enfin il existe aussi des engorgements, des refoulements, des ensablements, des « adductions » manquées et des sources qui « ne peuvent se rejoindre », sans même parler des courants souterrains et du reste.

3

Les faits qu'il serait peut-être bon de commencer par exposer sont brutaux : le mercredi 20 février 1974, donc en pleine période de carnaval, une jeune femme de 27 ans quitte son appartement vers 18 h 45 pour se rendre à une sauterie organisée par sa marraine.

Quatre jours plus tard, après un développement qu'il nous faut bien qualifier de dramatique (faisant là référence aux niveaux décroissants nécessaires à la formation du fleuve), le dimanche soir donc et presque à la même heure — pour être plus précis : vers 19 h 04 — ladite jeune femme sonne à la porte de Walter Moeding, commissaire de la brigade criminelle qui pour des raisons de service, donc non personnelles, est justement en train de se déguiser en cheikh. Elle lui déclare de but en blanc avoir le jour même vers 12 h 15 abattu chez elle de plusieurs coups de feu un journaliste du nom de Werner Tötges ; elle le prie donc de bien vouloir faire forcer sa porte en vue de procéder à l'enlèvement du cadavre. Sans laisser au commissaire le temps de se remettre de son émoi, elle ajoute qu'entre 12 h 15 et 19 h elle a erré en ville à la recherche infructueuse d'un remords introuvable et qu'enfin elle souhaite être arrêtée pour partager le sort de son « Ludwig chéri ».

Moeding, qui connaît cette jeune personne pour avoir assisté à plusieurs des interrogatoires qu'elle a subis et qui éprouve pour elle une certaine sympathie, ne doute pas un instant de la véracité de ses déclarations. Il l'emmène donc dans sa propre voiture à la préfecture de police, en avise son supérieur le commissaire principal Beizmenne, fait placer la prévenue en cellule et un quart d'heure plus tard retrouve Beizmenne devant l'appartement de la jeune femme dont une équipe de spécialistes force la serrure pour trouver à l'intérieur confirmation de ses déclarations.

Dans ce récit il ne sera que fort peu question de sang car seules devront être tenues pour indispensables les baisses de niveau essentielles ; aussi préférons-nous en la matière renvoyer le lecteur aux films de violence que le cinéma et la télévision lui prodiguent généreusement. Si quelque chose doit couler ici, que ce soit tout sauf du sang. Peut-être devrions-nous tout juste évoquer certains contrastes de couleur : la victime, Werner Tötges, portait un costume de cheikh improvisé, taillé dans un vieux drap de lit. Or nul n'ignore ce qu'une grande quantité de sang rouge peut provoquer sur une large surface blanche : un pistolet se transforme alors quasi obligatoirement en pulvérisateur, et puisqu'il s'agit justement d'un vêtement de toile, le résultat fait davantage penser à l'œuvre d'un peintre moderne ou à un décor de théâtre qu'à une opération de drainage. Bien. Tels sont donc les faits.

4

L'espace de quelques heures, la police ne tint pas pour invraisemblable qu'Adolf Schönner, reporter d'un journal illustré, également abattu d'un coup de feu et dont le corps ne fut découvert que le lundi gras dans un petit bois à l'ouest de la ville en liesse, ait été lui aussi supprimé par Katharina Blum ; mais après l'établissement d'un certain ordre chronologique dans le déroulement des faits, elle dut renoncer à une hypothèse aussi manifestement erronée. Un chauffeur de taxi devait d'ailleurs déclarer plus tard avoir personnellement conduit jusqu'au petit bois en question le dénommé Schönner costumé (lui aussi !) en cheikh et accompagné d'une jeune femme déguisée en Andalouse. Mais alors que Tötges avait été tué le dimanche aux alentours de midi, Schönner ne l'avait été qu'environ quatre heures plus tard. Et si l'on avait rapidement compris que l'arme du crime retrouvée près du corps de Tötges ne pouvait en aucun cas être celle ayant servi à tuer Schönner, les soupçons n'en pesèrent pas moins quelques heures durant sur Katharina Blum et ce en raison du mobile possible du crime. Si en effet celle-ci avait eu des raisons de se venger de Tötges, elle en aurait eu au moins autant de supprimer Schönner. Les enquêteurs tinrent néanmoins pour hautement invraisemblable que Katharina Blum ait pu posséder deux armes à feu. Dans l'exécution de son meurtre, la jeune femme avait certes fait preuve d'un étonnant sang-froid, or à la question de savoir si elle avait aussi tué Schönner elle fit, sous forme d'interrogation, une réponse des plus inquiétantes : « En effet, pourquoi pas celui-là aussi ? » Mais après vérification de son emploi du temps qui la disculpait de façon à peu près certaine, on finit par renoncer à la soupçonner du meurtre de Schönner. Aucun de ceux qui connaissaient Katharina Blum ou qui apprirent à la connaître au cours de l'instruction ne douta un seul instant que, si elle l'avait commis, elle eût avoué sans détours le meurtre de Schönner. En tout état de cause, le chauffeur de taxi qui avait conduit le jeune couple jusqu'au petit bois (« J'appellerais plutôt ça un tas de broussailles », dit-il) ne reconnut la jeune femme qu'il avait transportée sur aucune des photos de Katharina Blum qu'on lui présenta. « Mon Dieu, dit-il, des filles comme ça, brunes, minces, jolies, âgées de 24 à 27 ans et mesurant entre 1 m 63 et 1 m 68, c'est par milliers qu'on en rencontre ici pendant le carnaval ! »

Dans l'appartement d'Adolf Schönner on ne trouva nulle trace du passage de Katharina Blum, pas plus que le moindre indice relatif à l'Andalouse. Les confrères et amis de Schönner savaient seulement que le dimanche vers 3 h il avait quitté « en compagnie d'une quelconque pétasse » le bistrot servant de lieu de rendez-vous à de nombreux journalistes.

5

L'un des principaux organisateurs du carnaval, marchand de vins et représentant en champagnes qui en l'occurrence pouvait se vanter d'avoir fait preuve d'humour, se montra soulagé de ce que les deux meurtres ne se fussent ébruités que le lundi. « Des histoires de ce genre, juste au début des réjouissances, suffisent à détruire l'ambiance et à provoquer le marasme. S'il apparaît que des déguisements sont utilisés à des fins criminelles, adieu l'entrain et les affaires ! C'est un véritable sacrilège ! Car sans la confiance, plus question d'insouciance ni de gaieté ; elle en est la condition indispensable ! »

6

Dès qu'il eut connaissance de ces deux meurtres, LE JOURNAL se comporta d'assez étrange façon : agitation démentielle, manchettes, placards, éditions spéciales, avis de décès d'un format démesuré. Comme si en ce bas monde où tuer n'a rien d'exceptionnel, le meurtre d'un journaliste avait quelque chose de particulier, de plus important par exemple que celui d'un directeur, employé ou pilleur de banque.

L'importance excessive accordée par la presse à ces faits divers doit être d'autant plus soulignée que LE JOURNAL ne fut pas seul à leur donner une telle publicité. D'autres journaux qualifièrent aussi le meurtre des journalistes de particulièrement vil, épouvantable, dramatique, au point d'en faire presque, pourrait-on dire, un meurtre rituel. Ils allèrent même jusqu'à parler de « victimes du devoir professionnel ». LE JOURNAL bien entendu s'en tint obstinément à la version selon laquelle Katharina Blum aurait également tué Schönner. Or, même en admettant que Tötges n'eût probablement pas été descendu si au lieu de journaliste il avait été, disons, cordonnier ou boulanger, mieux eût quand même valu essayer de savoir si en l'occurrence il ne s'agissait pas surtout d'une mort provoquée par sa conception du journalisme ; plus tard en effet nous verrons justement pourquoi une personne aussi sensée et réservée que Katharina Blum a non seulement pu projeter son meurtre mais encore l'accomplir et de même pourquoi, à l'instant décisif de son choix, elle a non seulement empoigné le pistolet mais aussi tiré.

7

Mais quittons ce niveau si terre à terre pour reprendre quelque altitude. Finissons-en avec le sang. Oublions l'excitation de la presse. Entre-temps l'appartement de Katharina Blum a été nettoyé, ses tapis irrécupérables ont été jetés aux ordures, ses meubles briqués et remis en place, le tout à l'instigation et aux frais de Mᵉ Blorna qui s'en est fait donner mandat par son ami Peter Hach, bien que rien encore ne permette d'affirmer que l'avocat sera nommé administrateur judiciaire des biens de la jeune femme.

Toujours est-il qu'en l'espace de cinq ans, Katharina Blum a versé 70 000 marks en espèces pour l'achat d'un appartement d'une valeur totale de 100 000 marks. Il y a donc là — selon l'expression de son frère, lequel pour l'heure purge une légère peine de prison — « quelque chose de palpable à gratter ». Mais alors, et dût-on même inclure dans les calculs un accroissement non négligeable de la valeur de l'appartement, qui paierait les intérêts et l'amortissement des 30 000 marks restants ? Ce bilan ne comporte donc pas seulement un actif mais aussi un passif.

Quoi qu'il en soit, il y a belle lurette que Tötges a été enterré (avec, au dire de bien des gens, un faste outrancier). Chose curieuse, la mort et l'inhumation de Schönner n'ont pas fait l'objet d'un battage équivalent. Pourquoi donc ? Parce qu'il n'était pas tombé victime de « son devoir professionnel » mais plus vraisemblablement d'un drame de la jalousie ?

Le costume de cheikh que portait Tötges est conservé dans la resserre des pièces à conviction ainsi que l'arme du crime (un 08) dont Blorna connaît seul la provenance alors que la police et le ministère public se sont vainement efforcés de la découvrir.

8

L'enquête relative aux faits et gestes de Katharina Blum au cours des quatre journées fatidiques se déroula sans encombre pour les trois premières avant de buter sur un obstacle au moment d'éplucher son emploi du temps dominical. Le mercredi 20 février après-midi, Me Blorna avait personnellement versé à la jeune Blum le montant de deux salaires hebdomadaires s'élevant à 280 marks chacun, le premier pour la semaine en cours et le second pour la semaine à venir puisque sa femme et lui partaient le soir même aux sports d'hiver. Katharina avait non seulement promis mais solennellement juré à ses patrons qu'elle aussi allait enfin prendre un congé pour profiter des réjouissances du carnaval et non, comme les années précédentes, seconder des commerçants débordés de travail en cette période de festivités. Elle leur avait joyeusement annoncé qu'elle était invitée le soir même à une petite sauterie organisée par sa marraine, amie et confidente, Else Woltersheim et qu'elle s'en réjouissait d'autant plus qu'elle n'avait pas eu depuis bien longtemps l'occasion de danser. Mme Blorna lui aurait alors répliqué : « Patience, ma petite Katharina, à notre retour nous donnerons certainement une soirée et ainsi tu pourras de nouveau danser. » Depuis son arrivée en ville, c'est-à-dire depuis cinq ou six ans, Katharina n'avait cessé de se plaindre de l'impossibilité d'aller danser quelque part en tout bien tout honneur. Comme elle devait l'expliquer aux Blorna, il n'existait que des turnes où de pauvres diables d'étudiants cherchaient une fille avec qui passer la nuit gratis, ou alors des caves du genre bohème où ça tournait très vite à la débauche ou encore — ce qu'elle exécrait pardessus tout — des bals organisés par les paroisses.

Le mercredi après-midi — comme on put aisément le vérifier — Katharina avait encore travaillé deux heures chez M. et Mme Hiepertz qu'elle dépannait de temps à autre à leur demande. Les vieux époux quittant eux aussi la ville pendant la période du carnaval pour se rendre chez leur fille à Lemgo, Katharina les avait conduits à la gare dans sa Volkswagen. Malgré d'incroyables difficultés pour trouver une place où garer sa voiture, elle avait absolument tenu à les accompagner jusque sur le quai en portant leurs bagages. (« Pas pour de l'argent, oh non ! devait déclarer Mme Hiepertz. Nous ne songerions jamais à lui offrir la moindre gratification pour ce genre de service, ce serait l'offenser gravement. ») Le train — c'était facile à vérifier — était parti à 17 h 30. Si l'on voulait bien accorder à Katharina les cinq à dix minutes nécessaires à la récupération de sa voiture au milieu de l'infernal tohu-bohu de ce début de carnaval et vingt à vingt-cinq minutes supplémentaires pour regagner son immeuble situé dans un espace vert hors la ville et qu'elle n'avait donc pu atteindre qu'entre 18 h et 18 h 15, pas une minute de son emploi du temps n'était restée dans l'ombre, à condition bien sûr de lui concéder en toute justice le temps voulu pour faire un brin de toilette, se changer et avaler un petit quelque chose avant d'apparaître, vers 19 h 25, chez Mme Woltersheim. Pour aller chez sa marraine, elle n'avait pas pris sa voiture mais le tramway, n'étant déguisée ni en Bédouine ni en Andalouse, mais tout simplement vêtue d'une jupe de tweed ordinaire couleur de miel et d'un corsage montant en soie sauvage du même ton avec chaussures et bas rouges, plus un œillet rouge dans les cheveux. On pourrait considérer comme dénué d'intérêt le fait que pour aller chez sa marraine Katharina ait pris le tramway au lieu de sa voiture, mais force nous est de mentionner ce détail destiné à jouer un rôle considérable pendant l'instruction.

9

Dès l'instant où Katharina Blum pénétra dans l'appartement de Mme Woltersheim, l'enquête à venir se trouva grandement facilitée car à partir de là, c'est-à-dire de 19 h 25, la jeune femme passa sans s'en douter sous la surveillance de la police. Tout au long de la soirée, de 19 h 30 à 22 h, comme elle devait elle-même le déclarer plus tard, elle avait dansé « exclusivement et tendrement » avec un certain Ludwig Götten avant de quitter l'appartement en sa compagnie.

10

N'oublions pas ici de témoigner notre reconnaissance au procureur Peter Hach car c'est à lui et à lui seul que nous devons l'information — frisant le ragot — selon laquelle dès l'instant où, en compagnie de Ludwig Götten, Katharina eut quitté l'appartement de sa marraine, le commissaire principal Erwin Beizmenne fit brancher sur la table d'écoute les téléphones des deux femmes. La chose se passa d'une manière qui vaudrait la peine d'être divulguée. Dans ces cas-là, Beizmenne téléphonait à son supérieur qualifié pour lui déclarer : « J'ai de nouveau besoin de fouille-merde. Deux cette fois. »

11

Götten n'a manifestement pas téléphoné de chez Katharina. Hach n'en a en tout cas rien su. Mais une chose est certaine, c'est que l'appartement de la jeune femme fut étroitement surveillé et que le jeudi matin à 9 h 30, le téléphone n'ayant toujours pas été utilisé et Götten n'ayant apparemment toujours pas quitté les lieux, sur l'ordre de Beizmenne qui commençait à perdre et sa patience et son sang-froid, huit agents de police solidement armés firent irruption dans l'appartement qu'ils prirent d'assaut avec toutes les précautions d'usage puis visitèrent de fond en comble. Mais Götten s'était envolé et ils ne trouvèrent que Katharina qui, debout dans sa cuisine un grand bol de café à la main, mordait dans une tranche de pain blanc tartinée de beurre et de miel, l'air « parfaitement détendue et presque heureuse ». Sans manifester la moindre surprise à la vue des policiers, elle se montra au contraire parfaitement sereine « sinon même triomphante », ce qui bien entendu la leur rendit d'autant plus suspecte. Elle portait un peignoir de bain vert brodé de marguerites, sans rien dessous, et lorsque le commissaire Beizmenne lui demanda (« assez brutalement », devait-elle dire plus tard) où se trouvait Ludwig Götten, elle répondit qu'elle ignorait quand il avait quitté l'appartement. Elle s'était, dit-elle, éveillée vers 9 h pour s'apercevoir qu'il était déjà parti. « Sans même vous dire au revoir ? — Tout juste ! »

12

Le moment serait venu d'examiner un point qui a fait l'objet d'une vive controverse. Il s'agit d'une question posée par Beizmenne à Katharina Blum et dont Peter Hach se fit l'écho avant de la démentir pour d'ailleurs en certifier de nouveau l'authenticité, puis la démentir encore. Blorna attache beaucoup d'importance à cette question, estimant que si elle a réellement été posée, ce serait là et nulle part ailleurs que se situerait l'origine de l'amertume, de la honte et de la fureur éprouvées par Katharina Blum. Celle-ci étant au dire des Blorna d'une sensibilité extrême, et en matière de sexualité presque pudibonde, le fait que Beizmenne — fou furieux que Götten lui ait échappé alors qu'il était sûr cette fois de le tenir — *pourrait* avoir posé la question si controversée, mérite d'être examiné avec soin. Beizmenne *aurait* en effet demandé à Katharina appuyée avec une provocante nonchalance contre le buffet de sa cuisine : « Alors, il t'a sautée ? » A quoi Katharina aurait en rougissant répondu d'une voix fièrement triomphante : « Non, ce n'est pas le terme que j'emploierais. »

On peut admettre sans crainte que *si* Beizmenne a réellement posé cette question à Katharina, il a immédiatement

anéanti tout espoir de confiance entre la jeune femme et lui.
Toutefois, s'il est vrai qu'aucun rapport de confiance n'a jamais
pu s'établir entre eux — en dépit des efforts du policier dont
on disait volontiers qu'il n'était « pas si mauvais que ça » —
cela ne saurait être pourtant considéré comme la preuve irré-
futable qu'il ait effectivement posé cette fatidique question.
Quoi qu'il en soit, il se pourrait fort bien que Peter Hach,
présent à la perquisition et qui passe auprès de ses amis et
connaissances pour un chaud lapin, ait nourri une pensée tout
aussi vulgaire en voyant la très séduisante Katharina Blum
nonchalamment appuyée contre son buffet et qu'il eût volontiers posé la question ou même participé avec la jeune femme
à l'activité si grossièrement définie.

13

L'appartement fut aussitôt passé au peigne fin et quelques
objets y furent saisis, notamment des papiers. Katharina Blum
fut autorisée à s'habiller dans sa salle de bains en présence de
Mme Pletzer, agent féminin de la sûreté, mais à condition de
laisser entrebâillée la porte que surveillaient deux policiers
armés. Elle fut également autorisée à prendre son sac à main
et, l'éventualité de son arrestation ne pouvant être exclue, à
emporter ses affaires de nuit, une trousse de toilette et un peu
de lecture. Sa bibliothèque se composait de neuf ouvrages, tous
en provenance d'un club du livre : quatre romans d'amour,
trois romans policiers et deux biographies dont l'une de Napo-
léon et l'autre de la reine Christine de Suède. Katharina ne ces-
sant de demander : « mais pourquoi, pourquoi, quel crime ai-je
donc commis ? », Mme Pletzer finit par lui apprendre d'un ton
courtois que Ludwig Götten était un bandit recherché depuis

longtemps, convaincu ou presque de hold-up de banque et soupçonné de meurtre et autres forfaits.

14

Quand vint le moment — vers 10 h 15 — d'emmener Katharina Blum à la police pour l'y interroger, Beizmenne non sans hésitation renonça à lui faire passer les menottes. Sans doute était-ce contraire à ses principes, mais après un bref échange de vues son adjoint Moeding et Mme Pletzer étaient parvenus à l'en dissuader. En raison des grandes réjouissances qui allaient marquer le début du carnaval, nombreux étaient ceux qui chômaient ce jour-là sans toutefois être encore partis assister aux fêtes, cortèges et autres saturnales de rigueur. Aussi trois douzaines environ d'habitants de cet immeuble de dix étages se pressaient-ils dans le hall en manteau, robe de chambre ou peignoir de bain. Le sieur Schönner, photographe de presse, n'était lui qu'à quelques pas de l'ascenseur lorsque Katharina Blum en sortit entre Beizmenne et Moeding flanqués de policiers armés. La jeune femme fut plusieurs fois photographiée, de face, de profil et de dos, mais parce que, victime de son désarroi et de sa honte, elle essaya à plusieurs reprises de cacher son visage en bataillant avec son sac à main, sa trousse de toilette et un sac de plastique renfermant deux livres et de quoi écrire, elle finit par présenter au photographe un visage rien moins qu'aimable sous des cheveux en désordre.

15

Une demi-heure plus tard, après qu'on lui eut fait connaître ses droits et donné la possibilité de remettre un peu d'ordre

dans sa toilette, Katharina Blum subit en présence de Beizmenne, Moeding, Mme Pletzer ainsi que des procureurs Korten
et Hach son premier interrogatoire inscrit au procès-verbal :

« Mon nom est Katharina Blum, ex-épouse Brettloh. Je
suis née le 2 mars 1947 à Gemmelsbroich dans l'arrondissement
de Kuir. Mon père, Peter Blum, était mineur de son état. Il
est mort à 37 ans — alors que j'en avais 6 — des suites
d'une blessure de guerre au poumon. Dès la fin des hostilités,
il était retourné travailler dans une mine de schiste et fut,
semble-t-il, atteint de silicose. Après sa mort, ma mère pour
obtenir sa pension se heurta à de sérieuses difficultés, la sécurité
sociale et le syndicat des mineurs ne parvenant pas à se mettre
d'accord. Très jeune encore je fus obligée d'aider à la maison
parce que mon père, souvent malade, ne gagnait pas assez d'argent et que pour y remédier ma mère faisait des ménages chez
les autres. J'ai toujours bien travaillé à l'école malgré les nombreuses tâches domestiques dont je devais m'acquitter non seulement à la maison mais aussi chez des voisins et divers autres
villageois où j'aidais à faire la cuisine, cuire le pain, préparer
des conserves et saigner la volaille. J'aidais même à la moisson.
En 1961, à la fin de ma scolarité, j'obtins grâce à Mme Else
Woltersheim ma marraine, domiciliée à Kuir, une place de
domestique chez M. Gerbers, boucher de l'endroit, que j'aidais
aussi parfois à la boutique. De 1962 à 1965, grâce à l'intervention et à l'aide financière de ma marraine qui y enseignait,
j'ai suivi à Kuir les cours d'une école ménagère dont j'ai passé
l'examen de sortie avec la mention très bien. De 1966 à 1967,
j'ai travaillé comme économe à la crèche de la Société Koeschler
dans la localité voisine d'Oftersbroich puis ai obtenu, toujours
à Oftersbroich, une place de gouvernante d'intérieur chez le
docteur Kluthen où je ne suis restée qu'un an parce qu'il me
poursuivait de ses assiduités et que sa femme ne le supportait

pas. Comme de mon côté je trouvais la chose intolérable, j'ai préféré m'en aller. En 1968, alors sans emploi fixe quelques semaines durant, j'aidai ma mère à tenir son ménage et donnai aussi par-ci par-là un coup de main lors des réunions et des parties de quilles du corps des tambours de Gemmelsbroich. Par l'intermédiaire de mon frère aîné Kurt Blum je fis alors la connaissance de Wilhelm Brettloh, ouvrier dans une usine textile, que j'épousai quelques mois plus tard. Nous habitions Gemmelsbroich où parfois pendant les week-ends, s'il y avait afflux d'excursionnistes, j'allais à l'auberge Kloog aider soit à la cuisine soit au service. Après six mois de mariage à peine, mon conjoint m'inspirait déjà une insurmontable aversion. Je préférerais ne pas en dire davantage à ce sujet. J'ai donc quitté mon mari pour aller m'établir en ville. Le divorce a été prononcé à mes torts pour abandon du domicile conjugal et j'ai alors repris mon nom de jeune fille. Après quelques semaines passées chez Mme Woltersheim, j'ai finalement trouvé une place de gouvernante d'intérieur chez M. Fehnern, commissaire aux comptes, qui m'hébergeait aussi. Grâce à lui j'ai pu suivre des cours du soir pour parfaire ma formation et obtenir un diplôme d'Etat. M. Fehnern était très gentil et très généreux et je suis d'ailleurs restée chez lui après l'obtention de mon diplôme. Fin 1969, en raison d'importantes fraudes fiscales découvertes chez de grosses sociétés pour lesquelles il travaillait, M. Fehnern fut arrêté. Avant d'être emmené, il me remit une enveloppe contenant mes gages pour une durée de trois mois en me priant de continuer à veiller au bon ordre de sa maison jusqu'à son retour qui, selon lui, ne pouvait tarder. J'y suis restée un mois encore — tout comme ses employés qui travaillaient chez lui sous la surveillance de fonctionnaires des contributions — je faisais le ménage, entretenais le jardin et prenais soin du linge. Pendant toute la durée de la détention préventive de M. Fehnern, je n'ai jamais manqué de lui apporter du linge propre et des provisions, surtout des petits pâtés des Ardennes que j'avais appris à confectionner chez Gerbers, le boucher de Kuir. Mais plus tard, quand on a fermé son cabinet et apposé les scellés sur son domicile, j'ai dû quitter ma chambre. Selon toute apparence M. Fehnern fut alors convaincu de faux et de détournements puis emprisonné pour de bon. J'ai continué à aller le voir régulièrement à la prison. Je voulais aussi lui rendre les deux mois de gages que je lui devais, mais il a refusé tout net. J'ai très vite trouvé un nouvel emploi chez les époux Blorna que j'avais connus par M. Fehnern.

Les Blorna habitent une villa dans une cité-jardin de la banlieue sud. Ils m'ont proposé de me loger chez eux mais j'ai décliné leur offre, voulant être enfin indépendante pour pouvoir exercer plus librement mon métier. Les époux Blorna ont été très obligeants envers moi. Mme Blorna, qui travaille dans un grand bureau d'architecte, m'a aidée à obtenir un appartement dans la nouvelle agglomération bâtie au sud de la ville, celle qu'a lancée une campagne publicitaire sur le thème « Une résidence au bord de l'eau ». Me Blorna en sa qualité d'avocat d'affaires et Mme Blorna par son bureau d'architecte, connaissaient bien le projet. J'ai calculé avec Me Blorna le financement, le paiement des intérêts et l'amortissement d'un appartement de deux pièces-cuisine-salle de bains au huitième étage. Comme entre-temps j'avais réussi à économiser 7 000 marks tandis que les époux Blorna se portaient pour moi garants d'un crédit de 30 000 marks, j'ai pu emménager dès le début de 1970. Dans les premiers temps je devais chaque mois verser au minimum 1 100 marks, mais comme les Blorna me nourrissaient gratuitement à midi et que Mme Blorna ne manquait jamais de me donner quelque chose à emporter pour mon dîner, j'ai pu vivre très économiquement et de ce fait amortir mon crédit beaucoup plus vite que prévu. Depuis quatre ans je tiens entièrement et en toute liberté le ménage des Blorna. Mon travail commence à 7 h du matin pour s'achever une fois terminés les travaux domestiques, les emplettes et la préparation du dîner, soit vers 4 h de l'après-midi. J'ai aussi la charge de tout le linge de la maison. Entre 16 h 30 et 17 h 30 je vaque aux soins de mon propre ménage puis d'habitude vais encore travailler une heure et demie ou deux chez les Hiepertz, un couple de rentiers. Le samedi et le dimanche, les Blorna comme les Hiepertz me paient davantage qu'en semaine. Le temps qui me reste, je l'emploie à travailler tantôt chez Kloft le traiteur, tantôt dans des réceptions, cocktails, bals, mariages et autres. Dans ces cas-là je suis le plus souvent engagée à titre individuel pour une somme forfaitaire à débattre, mais parfois aussi pour le compte de la maison Kloft. Je m'occupe en général de l'organisation matérielle et comptable de ces réunions, mais y travaille parfois aussi comme simple cuisinière ou serveuse. Mon revenu mensuel brut varie de 1 800 à 2 300 marks. Vis-à-vis de l'administration des Finances je passe pour exercer une profession libérale et donc règle moi-même mes impôts et cotisations d'assurance sociale. Le cabinet de Mᵉ Blorna s'occupe bénévolement pour moi de mes déclarations d'impôts et autres. Depuis le printemps 1972, je possède une Volkswagen modèle 1968 que Werner Klormer, cuisinier chez Kloft, m'a cédée à un prix avantageux. Il m'était devenu trop difficile de gagner par les transports en commun mes divers lieux de travail. Ma voiture m'a procuré une mobilité suffisante pour me permettre de prêter mon concours à des réceptions ou cérémonies diverses organisées dans des hôtels souvent fort éloignés. »

16

Cette partie de l'interrogatoire ne dura pas moins de six heures. Commencée à 10 h 45 et interrompue à 12 h 30, elle reprit une heure plus tard, soit à 13 h 30, pour ne se terminer qu'à 17 h 45. Durant la pause du déjeuner Katharina Blum refusa les sandwiches au fromage accompagnés de café que lui offrait la police, et les exhortations de Mme Pletzer, manifestement bien disposée à son égard, ne réussirent pas plus que celles du commissaire Moeding à la faire changer d'avis. Ainsi que l'a rapporté Peter Hach, elle ne pouvait visiblement ni dissocier les mesures d'ordre officiel des gestes de caractère privé ni reconnaître la nécessité de son interrogatoire. Lorsque Beizmenne, qui col ouvert et cravate desserrée savourait café et sandwiches, se mit non seulement à paraître paternel mais à le devenir pour de bon, Katharina Blum insista pour être isolée dans une cellule. Il est prouvé que les deux agents de police commis à sa garde essayèrent à leur tour de lui faire accepter café et sandwiches mais assise sur le châlit elle secoua obstinément la tête puis, après avoir allumé une cigarette, exprima par un froncement du nez et une mimique éloquente le dégoût que lui inspiraient les restes de vomissures maculant encore le lavabo de sa cellule. Un peu plus tard, vaincue par l'insistance des deux jeunes agents et de Mme Pletzer, elle autorisa celle-ci à lui prendre le pouls qui se révéla d'ailleurs tout à fait normal. Elle condescendit enfin à se faire apporter d'un café voisin un sablé et une tasse de café mais en exigeant de les payer de sa poche bien que celui des deux agents qui le matin avait monté la garde devant la porte de sa salle de bains pendant qu'elle s'habillait, fût prêt à les lui offrir. Le jugement porté sur cet épisode par Mme Pletzer et les deux agents : « Plutôt pénible ! »

17

La première phase de l'interrogatoire se poursuivit donc de 13 h 30 à 17 h 45. Beizmenne eût volontiers écourté celui-ci mais Katharina Blum insista pour qu'il fût mené avec la plus grande minutie, désir exaucé par les deux procureurs. Quant à Beizmenne — de mauvais gré d'abord puis avec plus de compréhension en raison de l'importance qu'il attachait aux éléments qui venaient de lui être fournis — il opta lui aussi pour la minutie.

Vers 17 h 45 la question se posa de savoir si l'on devait entamer ou non la seconde phase de l'interrogatoire et si l'on devait relâcher Katharina Blum ou la garder en détention. Vers 17 h elle avait consenti à accepter une nouvelle tasse de thé et un sandwich au jambon puis, Beizmenne lui ayant promis de la remettre en liberté dès l'interrogatoire terminé, elle tomba d'accord pour le poursuivre jusqu'au bout. Interrogée alors sur ses rapports avec Mme Woltersheim, Katharina Blum déclara que sa marraine — cousine éloignée de sa mère — s'était toujours beaucoup occupée d'elle et avait dès son arrivée en ville immédiatement renoué le contact.

« Le 20 février je me suis donc rendue à cette petite soirée dansante qui d'abord fixée au 21 fut ensuite avancée d'un jour, Mme Woltersheim ayant pris des engagements professionnels pour la soirée du 21. C'était la première fois que j'allais danser depuis quatre ans... Non, je reviens sur cette déclaration : à diverses reprises, peut-être deux, trois ou même quatre fois, j'ai dansé chez les Blorna lorsqu'ils donnaient un dîner et que je venais aider. A une heure avancée, une fois la table débarrassée et la vaisselle faite, dès que j'avais servi le café et Me Blorna les liqueurs, Mme Blorna me faisait venir au salon où je dansais avec son mari et aussi d'autres messieurs, universitaires, hommes d'affaires ou politiciens. Très vite, je n'ai plus accepté ces invitations qu'avec hésitation sinon même à contrecœur avant de les refuser carrément tant ces messieurs, souvent plus ou moins éméchés, devenaient alors importuns. Pour être tout à fait exacte, j'ai refusé leurs invitations du jour où j'ai possédé une voiture, n'ayant plus alors à dépendre de celui des invités qui me ramènerait chez moi. » Puis montrant du doigt Peter Hach qui ne put s'empêcher de rougir, elle ajouta : « Avec ce monsieur aussi, j'ai eu l'occasion de danser. » La question de savoir si Hach s'était lui aussi montré importun ne fut pas posée.

18

La durée des interrogatoires s'expliquait par le fait que Katharina Blum contrôlait chaque formulation avec une surprenante minutie, se faisant lire chacune des phrases inscrites au procès-verbal. C'est ainsi par exemple que, le terme « importun » mentionné au paragraphe précédent ayant été remplacé dans le procès-verbal par celui de « tendre », la jeune femme indignée, aussitôt insurgée contre une telle interprétation, se lança dans une vive controverse avec les procureurs d'une part et Beizmenne de l'autre, car pour elle la tendresse se caractérisait par la réciprocité alors que l'importunité était une action unilatérale, la seule précisément dont il s'était toujours agi. Lorsque ces messieurs, qui trouvaient ses subtils distinguos bien accessoires, déclarèrent à Katharina que si l'interrogatoire durait plus longtemps que de raison, elle en était seule responsable, elle leur répondit qu'elle ne signerait pas un procès-verbal dans lequel le terme « tendre » figurerait à la place de celui d' « importun », ajoutant que pour elle la différence était capitale et que l'une des raisons ayant motivé sa séparation d'avec son mari tenait précisément au fait qu'il n'avait jamais été tendre à son égard mais toujours importun.

Le terme « obligeants » appliqué aux époux Blorna (« ils ont été très obligeants envers moi ») donna lieu aux mêmes controverses. La formule inscrite au procès-verbal était : « gentils pour moi », mais Katharina Blum tenait au terme « obligeants » et quand on lui proposa de le remplacer par celui de « cordiaux », « obligeants » étant si démodé, elle s'en indigna car selon elle la gentillesse et la cordialité n'avaient rien à voir avec la bonté qui précisément caractérisait l'attitude des Blorna à son égard.

19

Entre-temps la police avait interrogé les habitants de l'immeuble dont la plupart ne savaient rien ou presque de Katharina Blum : l'ayant tout juste rencontrée parfois dans l'ascenseur, ils avaient alors échangé un salut avec elle ; ils savaient pourtant que la Volkswagen rouge était la sienne ; certains la croyaient secrétaire de direction, d'autres chef de rayon dans un grand magasin ; dans l'ensemble on s'accordait pour la juger vive et aimable quoique réservée. Parmi les occupants des cinq autres appartements du huitième étage où logeait Katharina, deux seulement purent fournir sur elle de plus amples renseignements. Une dame Schmill, propriétaire d'un salon de coiffure et un sieur Ruhwiedel, retraité de la Société d'Electricité. Le plus ahurissant était la concordance de leurs déclarations sur un point précis, à savoir que Katharina recevait ou ramenait parfois un visiteur chez elle. Mme Schmill déclara pour sa part que le visiteur venait régulièrement toutes les deux ou trois semaines et qu'il s'agissait d'un homme d'une quarantaine d'années, d'allure sportive et visiblement issu d'un « très bon milieu », tandis que M. Ruhwiedel en parlait comme d'un type assez jeune et dégingandé qui plusieurs fois avait pénétré seul dans l'appartement de Mlle Blum mais plusieurs fois aussi en compagnie de celle-ci : « Je dirais qu'au cours des deux dernières années il est venu huit ou neuf fois, mais je ne parle que des visites que j'ai pu observer... de celles que je n'ai pas observées, je ne puis naturellement rien dire. »

Lorsqu'en fin d'après-midi ces témoignages ayant été soumis à Katharina, celle-ci fut invitée à se prononcer à leur sujet, ce fut Hach qui avant même de lui avoir posé la question essaya de lui tendre la perche en suggérant qu'il s'agissait peut-être là des messieurs dont elle avait dit qu'ils la raccompagnaient parfois chez elle. Katharina, qui de honte et de dépit avait rougi jusqu'aux oreilles, lui demanda alors d'un ton tranchant : « Serait-il donc interdit de recevoir des visiteurs ? » Puisqu'elle refusait visiblement de saisir une perche pourtant obligeamment tendue, à moins encore qu'elle ne l'eût même pas reconnue pour telle, Hach se fit à son tour plus mordant en déclarant à la jeune femme qu'elle ferait bien de s'aviser qu'il s'agissait en l'occurrence d'une enquête sur la très sérieuse affaire Götten aux multiples ramifications, menée par la police et le ministère public depuis plus d'un an déjà. Et comme il lui demandait alors si les visites dont elle ne niait manifestement pas l'existence étaient toujours le fait d'une seule et même personne, Beizmenne intervint brutalement en s'exclamant : « Voilà donc deux ans déjà que vous connaissez Götten ! » Katharina fut tellement abasourdie par cette déclaration qu'incapable d'y répondre elle se contenta de regarder Beizmenne en secouant la tête. Aussi, lorsqu'elle parvint enfin à balbutier d'une voix étonnamment douce : « Mais non, pas du tout, je n'ai fait sa connaissance qu'hier soir », cette tardive mise au point ne parut guère convaincante. Comme on l'invitait ensuite à identifier son visiteur, horrifiée elle fit non de la tête en signe de refus. Beizmenne, reprenant alors son air paterne, s'efforça de lui faire entendre raison en lui assurant qu'il n'y avait aucun mal à ce qu'elle eût un ami — et c'est alors qu'il commit trois fautes psychologiques capitales — un ami qui loin d'être importun lui aurait au contraire manifesté sa tendresse ; qu'en tant que divorcée elle n'était d'ailleurs plus tenue à la fidélité ; et qu'enfin — troisième faute capitale ! — il n'y avait rien de répréhensible dans le fait qu'une tendresse non importune s'accompagnât éventuellement de certains avantages matériels. Voilà qui suffit à braquer définitivement la jeune femme qui refusa désormais d'en dire plus long, exigeant d'être soit incarcérée, soit ramenée chez elle. A la stupéfaction générale, Beizmenne déclara d'une voix douce et lasse — il était alors 20 h 40 — qu'il allait la faire reconduire chez elle par un de ses hommes. Mais tandis que, déjà levée, elle ramassait ses affaires (sac à main, trousse de toilette et sac de plastique), il lui lança tout soudain d'une voix dure : « Comment s'y est-il donc pris, votre tendre Ludwig, pour sortir ce matin de votre immeuble ? Toutes les issues en étaient surveillées... mais vous, vous devez certainement connaître un passage dérobé, et ce secret, je finirai bien par vous l'arracher. Au revoir ! »

20

Moeding, l'adjoint de Beizmenne qui reconduisit Katharina chez elle, devait ensuite déclarer avoir trouvé l'état de la jeune femme assez inquiétant pour craindre qu'elle ne voulût attenter à ses jours. A l'entendre, elle était complètement effondrée, anéantie ; mais chose surprenante, c'était le moment qu'elle avait choisi pour faire preuve d'humour car tandis qu'il roulait avec elle à travers la ville il lui avait demandé en plaisantant s'il ne lui serait pas agréable de pouvoir, sans façon et sans la moindre arrière-pensée, aller prendre un verre puis danser dans un quelconque cabaret. Avec un signe de tête approbateur, elle lui avait répondu qu'en effet cela ne lui serait pas désagréable, bien au contraire. Et plus tard lorsqu'en débarquant devant son immeuble il lui avait offert de la reconduire par l'ascenseur jusqu'à sa porte, elle avait répondu d'un ton sarcastique : « Mieux vaut pas ! J'ai comme vous le savez bien assez d'histoires de visiteurs... mais merci quand même ! »

Durant toute la soirée et la moitié de la nuit, Moeding essaya de convaincre Beizmenne de la nécessité d'incarcérer Katharina Blum pour la protéger d'elle-même et quand Beizmenne lui demanda s'il était par hasard tombé amoureux de la jeune femme, il répondit que non mais qu'il éprouvait de la sympathie pour elle qui avait son âge, et que la théorie de Beizmenne selon laquelle il pouvait s'agir d'une vaste conjuration à laquelle Katharina serait mêlée le laissait sceptique.

Ce qu'il garda pour lui mais que Mᵉ Blorna apprit de la bouche de Mme Woltersheim, c'est que tout en accompagnant Katharina à travers le hall jusqu'à l'ascenseur il lui avait donné deux conseils assez intempestifs susceptibles non seulement de lui coûter cher, mais aussi de mettre en péril sa propre vie et celle de ses collègues. En effet, au moment où ils arrivaient devant l'ascenseur il recommanda à Katharina : « Ne touchez surtout pas au téléphone et demain n'ouvrez pas le journal. » S'agissait-il dans son esprit du seul JOURNAL ou des journaux en général, on ne sait.

21

En ce même jeudi 21 février 1974, il était environ 15 h 30 lorsque dans la station de sports d'hiver où il comptait passer une dizaine de jours, Me Blorna chaussa pour la première fois ses skis dans l'intention d'effectuer une assez longue randonnée. Dès cet instant pourtant, ses vacances dont il s'était fait une telle fête étaient fichues. La veille au soir peu après leur arrivée, Trude et lui avaient fait une belle promenade de deux heures dans la neige, puis avaient bu une bouteille de vin au coin du feu avant d'aller dormir d'un profond sommeil, fenêtre grande ouverte. Le matin, après un petit déjeuner dont il avait fait durer le plaisir, il avait gagné la terrasse où, bien emmitouflé, il s'était installé dans un confortable fauteuil d'osier pour le reste de la matinée. Enfin l'après-midi, à l'instant précis où il chaussait ses skis pour effectuer sa randonnée, ce type du JOURNAL brusquement surgi devant lui l'avait attaqué de but en blanc sur Katharina : « La croyez-vous capable de commettre un crime ? — Comment cela ? Je suis avocat et sais donc bien quel genre d'individus sont capables d'en commettre un. Mais quel crime ? Katharina ? Impensable ! D'où vous vient cette idée ? Que savez-vous ? » En apprenant enfin qu'un bandit recherché depuis longtemps avait indiscutablement passé la nuit chez Katharina et que depuis 11 h du matin environ elle subissait un interrogatoire serré, il songea à rentrer par le premier avion pour lui prêter assistance, mais le type du JOURNAL — lui avait-il alors vraiment trouvé l'air visqueux ou l'idée ne lui en était-elle venue que plus tard ? — en lui assurant qu'il n'y avait pas péril en la demeure, le pria de bien vouloir lui indiquer quelques traits de caractère de la jeune femme. Lorsque Me Blorna s'y refusa, le type prétendit que c'était mauvais signe, un tel refus pouvant être mal interprété car dans pareil cas — il s'agissait d'une *front-page-story*[1] — garder le silence sur son caractère, c'était en reconnaître implicitement la mauvaise nature. Sur ce, agacé et furieux Blorna déclara que Katharina était une jeune femme très intelligente et réservée. Mais il s'en voulut aussitôt car ça n'était pas tout à fait juste ni ne traduisait bien ce qu'il voulait et aurait dû dire. Il n'avait encore jamais eu affaire aux journaux, donc jamais au JOURNAL, mais quand il vit le type repartir au volant de sa Porsche, il déchaussa ses skis sachant ses vacances terminées. Il monta retrouver Trude qui douillettement enveloppée dans des couvertures somnolait étendue au soleil sur le balcon. Il lui raconta l'histoire. « Essaye donc de la joindre au téléphone », dit-elle. Il s'y efforça à trois, quatre, cinq reprises, mais pour s'entendre opposer chaque fois : « l'abonné ne répond pas ». Il essaya une fois encore vers 11 h du soir mais sans plus de succès. Il but alors beaucoup et dormit mal.

22

Lorsque d'humeur maussade il apparut le vendredi matin vers 9 h 30 au petit déjeuner, Trude lui tendit aussitôt LE JOURNAL. Katharina y figurait à la une. Photo gigantesque et caractères non moins gigantesques. KATHARINA BLUM, LA BONNE AMIE D'UN GANGSTER, REFUSE DE DONNER LES NOMS DE SES VISITEURS. *Ludwig Götten, le bandit et assassin recherché depuis un an et demi aurait pu être arrêté hier si sa bonne amie, une employée de maison nommée Katharina Blum, n'avait couvert sa fuite et effacé*

1. En anglais dans le texte.

toute trace de son passage. La police présume que la femme Blum est depuis assez longtemps déjà mêlée à la conjuration. (Suite page 2, colonnes 3 et 4.)

En deuxième page Blorna put voir à quel degré LE JOURNAL avait travesti ses propos : la jeune femme « intelligente et réservée » était devenue « froide et calculatrice », tandis que de sa déclaration générale sur la criminalité, LE JOURNAL avait déduit que Katharina « était tout à fait capable de commettre un crime ».

Le curé de Gemmelsbroich nous a déclaré : « Je la crois capable de tout. Son père était un communiste inavoué et sa mère, que par charité j'ai pendant un certain temps employée comme femme de ménage, a volé du vin de messe et célébré des orgies dans la sacristie avec ses amants.

« Depuis deux ans la femme Blum recevait régulièrement chez elle des visiteurs. Son appartement était-il le quartier général d'une bande organisée, servait-il de cache d'armes ? Et comment cette employée de maison tout juste âgée de vingt-sept ans a-t-elle pu s'offrir un appartement d'une valeur approximative de 110 000 marks ? A-t-elle donc eu sa part du butin raflé dans les banques ? La police poursuit son enquête et le ministère public travaille d'arrache-pied. La suite au prochain numéro. COMME TOUJOURS LE JOURNAL RESTE EN PREMIERE LIGNE ! Nos lecteurs trouveront dans l'édition de demain l'ensemble des informations tissant la toile de fond de cette affaire. »

L'après-midi, à l'aéroport, Blorna reconstitua les événements tels qu'ils s'étaient succédé à dater de l'instant où il avait terminé la lecture du JOURNAL.

10 h 25. Appel téléphonique de Lüding, très agité, qui me conjure de rentrer immédiatement et de me mettre aussitôt en rapport avec Aloïs Sträubleder. Celui-ci, soi-disant complète-

ment désemparé — ce qui ne s'est encore jamais vu et de ce fait ne me paraît guère plausible — participe pour l'heure à Bad Bedelig à un congrès de patrons chrétiens où il doit présenter le rapport principal et diriger les débats.

10 h 40. Appel téléphonique de Katharina qui me demande si j'ai réellement parlé d'elle dans les termes reproduits par LE JOURNAL. Heureux de pouvoir mettre les choses au point, je lui explique la façon dont on a dénaturé mes propos et elle me répond (je note de mémoire) à peu près ceci : « Je vous crois, je vous crois, car je sais à présent comment travaillent ces salauds-là. Ce matin, ils sont même allés trouver ma mère qui est très malade, mon ex-mari et Dieu sait qui encore. » Quand je lui demande où elle est, elle me répond : « Chez Else, mais il me faut maintenant retourner à l'interrogatoire. »

11 h. Appel téléphonique d'Aloïs que pour la première fois de ma vie — et je le connais depuis vingt ans — j'ai vraiment senti agité et anxieux. Il me demande de rentrer dare-dare pour le remplacer ès qualités dans une affaire très épineuse. Lui pour l'heure doit d'abord présenter son rapport avant le déjeuner aux chefs d'entreprises et ensuite diriger les débats, puis participer dans la soirée à une réunion amicale des congressistes ; il pourrait néanmoins passer chez nous entre 19 h 30 et 21 h 30 et ne rejoindre qu'ensuite sa réunion.

11 h 30. Trude trouve aussi qu'il nous faut partir séance tenante pour aller apporter notre soutien à Katharina. De son sourire ironique je conclus qu'elle a déjà (comme toujours) une théorie probablement exacte sur les embarras d'Aloïs.

12 h 15. Places retenues dans l'avion, valises faites, note d'hôtel réglée. Après quarante heures à peine de vacances nous voici roulant en taxi vers l'aéroport de I. où nous attendrons de 14 à 15 h dans le brouillard. Nous avons entre-temps une longue conversation sur Katharina à laquelle, Trude le sait bien,

je tiens énormément. Nous évoquons les efforts que nous avons prodigués pour l'inciter à abandonner un peu de sa pruderie et à tirer un trait sur son enfance malheureuse comme sur son mariage raté. Et aussi la façon dont nous avons essayé de vaincre sa fierté dans les questions d'argent en vue de lui faire accepter un prêt à intérêts moins élevés que ceux pratiqués par les banques. Nous avions eu beau lui expliquer qu'en nous versant 9 % d'intérêts au lieu des 14 % exigés par la banque elle ne nous faisait pas subir la moindre perte tout en économisant de son côté pas mal d'argent, nous n'avions pu l'y décider. Nous évoquons aussi notre dette de reconnaissance envers elle : depuis qu'elle tient notre ménage avec un calme, un dévouement et un sens de l'organisation tout à fait remarquables, elle a non seulement considérablement réduit nos dépenses mais nous a encore permis de nous consacrer entièrement à nos activités professionnelles, avantage à nos yeux inestimable. Elle nous a enfin libérés du chaos qui, cinq années durant, a si lourdement pesé sur notre union et nos activités professionnelles.

Vers 16 h 30, le brouillard paraissant ne pas devoir se lever nous décidons de prendre le train. Sur le conseil de Trude je ne téléphone *pas* à Aloïs Sträubleder. Nous filons en taxi jusqu'à la gare où nous réussissons à attraper à 17 h 45 un train en direction de Francfort. Voyage détestable... nervosité, écœurement. Trude est, elle aussi, grave et tourmentée : elle flaire un grand malheur. A Munich où nous devons changer de train, brisés de fatigue nous réussissons à trouver de la place dans un wagon-lit. Nous nous attendons à bien des soucis avec et pour Katharina, à bien des contrariétés du côté Lüding et Sträubleder.

23

Le samedi matin en arrivant malheureux et fourbus dans leur ville où le carnaval battait son plein, les Blorna à peine descendus sur le quai tombèrent sur LE JOURNAL avec de nouveau Katharina à la une, cette fois en train de descendre l'escalier de la préfecture de police en compagnie d'un agent de la police criminelle en civil. *LA BONNE AMIE DE L'ASSASSIN REFUSE TOUJOURS DE PARLER ! AUCUNE INDICATION SUR LA CACHETTE DE GOTTEN ! LA POLICE EST SUR LES DENTS !*

Trude acheta la feuille, puis ils prirent un taxi pour rentrer chez eux. Ils restèrent silencieux tout le long du trajet et quand Blorna régla la course pendant que Trude ouvrait la porte de la villa, le chauffeur montrant LE JOURNAL lui dit : « Vous y êtes aussi, je vous ai tout de suite reconnu. C'est vous l'avocat et l'employeur de cette fille. » Surpris sans doute par l'importance du pourboire, le chauffeur dont le ricanement était déjà nettement moins malveillant que son ton ne l'avait été porta jusque dans le vestibule valises, trousses de voyage et skis avant de se retirer avec un aimable « salut ! ».

Trude avait déjà mis le percolateur en route et prenait un bain. LE JOURNAL était posé sur la table du salon à côté de deux télégrammes, l'un de Lüding et l'autre de Sträubleder. Celui de Lüding disait : « Sommes pour le moins déçus par l'absence de contact. Lüding. » Et celui de Sträubleder : « Pourquoi me laisses-tu tomber ? Compte sur ton appel immédiat. Aloïs. »

Il était 8 h 15, à peu de chose près l'heure à laquelle Katharina leur servait d'habitude leur petit déjeuner : elle mettait toujours le couvert de si jolie façon avec des fleurs, des napperons individuels et des serviettes fraîchement lavés, diverses sortes de pain, du miel, des œufs, du café et pour Trude des toasts avec de la marmelade d'oranges.

En apportant le café, un peu de pain de gruau, du beurre et du miel, Trude elle-même se fit presque sentimentale : « Ce ne sera plus jamais pareil, plus jamais ! Ils achèveront cette pauvre fille. Si ce n'est la police, ce sera LE JOURNAL, et quand celui-ci cessera de s'intéresser à elle, ce sera le tour des " bonnes gens ". Tiens, avant de téléphoner aux " visiteurs ", commence donc par lire ça ! » Il vit :

« *LE JOURNAL, toujours soucieux de vous informer aussi complètement que possible, a réussi à rassembler de nouvelles déclarations qui éclairent le caractère de la femme Blum et certains aspects de son passé douteux. Des reporters du JOURNAL ont réussi à trouver la mère, gravement malade, de la suspecte. Elle a commencé par se plaindre de n'avoir pas reçu la visite de sa fille depuis fort longtemps. Puis, confrontée à la situation, elle a déclraé : « Ça devait arriver, ça devait finir ainsi ! » Quant à l'ex-mari, Wilhelm Brettloh, un brave ouvrier du textile dont le divorce d'avec Katharina Blum a été prononcé aux torts de celle-ci pour abandon du domicile conjugal, il a montré plus d'empressement encore à fournir des renseignements au JOURNAL. « Je comprends enfin, nous a-t-il déclaré en refoulant difficilement ses larmes, pourquoi elle est partie, pourquoi elle m'a abandonné. C'était donc ça ! Maintenant j'y vois clair. Notre modeste bonheur ne lui suffisait pas. Elle avait de grandes ambitions, et comment un simple et honnête ouvrier pourrait-il jamais s'offrir une Porsche ? Peut-être (ajouta-t-il sagement) pourriez-vous transmettre mon avis aux lecteurs du JOURNAL : voilà où mènent nécessairement des idées fausses sur le socialisme. Je vous demande et je demande à vos lecteurs : comment une domestique pourrait-*

elle se procurer de telles richesses ? Elle ne peut les avoir honnêtement acquises. Je sais à présent pourquoi son extrémisme et son anticléricalisme m'ont toujours fait peur, et je bénis Notre Seigneur de ne pas nous avoir donné d'enfant. Et quand j'apprends de surcroît qu'elle préférait à mon affection toute simple les caresses d'un voleur et d'un assassin, alors sur ce chapitre-là aussi j'y vois clair. Et pourtant je voudrais lui crier : ma petite Katharina, que n'es-tu restée auprès de moi ! Nous aussi, avec le temps, nous aurions réussi à posséder notre logement et notre petite voiture. Sans doute n'aurais-je jamais pu t'offrir une Porsche, mais seulement le modeste bonheur que peut offrir un honnête ouvrier qui se défie des syndicats. Ah, Katharina ! " »

Sous le titre : « Couple de rentiers épouvanté mais non surpris », Blorna trouva encore en dernière page une colonne encadrée d'un trait rouge :

A Lemgo, où une collaboratrice du JOURNAL a réussi à les trouver chez leur fille mariée qui y dirige une maison de repos, M. Berthold Hiepertz, historien et philologue, ancien directeur des études à la retraite et Mme Erna Hiepertz son épouse — ils emploient Katharina Blum depuis trois ans — sont apparus épouvantés mais non « particulièrement surpris » par les activités de celle-ci. Ils nous ont déclaré à son sujet : « Une extrémiste à tous égards et qui nous a habilement trompés. »

(Hiepertz, à qui Blorna téléphona plus tard, lui jura avoir dit ceci : « Si Katharina peut être accusée d'extrémisme, c'est seulement en matière d'intelligence, de serviabilité et d'organisation. Ou alors j'aurais dû lourdement me tromper sur son compte, bien qu'ayant derrière moi en matière de pédagogie quarante années d'expérience au cours desquelles je me suis bien rarement trompé. »)

Suite de la première page :

« *L'ex-mari de la femme Blum, que LE JOURNAL a réussi à joindre à l'occasion d'une répétition du corps des fifres et tambours de Gemmelsbroich, était si brisé par l'émotion qu'il a dû se détourner pour cacher ses larmes. Quant aux autres membres de l'association, comme l'a si bien exprimé un vieux paysan du nom de Meffels, ils se sont également détournés avec horreur de cette Katharina si bizarre et qui faisait toujours sa prude. En tous les cas, voilà qui en ces jours de réjouissances aura suffi à ternir la joie innocente d'un honnête ouvrier.* »

Enfin une photo de Blorna et Trude dans leur jardin au bord de la piscine. Légende : « Maître Blorna, avocat d'affaires aux honoraires plus que confortables, avec sa femme Trude devant la piscine de leur luxueuse villa. Mais quel rôle jouent donc dans cette affaire celle qui fut jadis connue sous le sobriquet de " Trude la Rouge " et son mari qui se dit volontiers " de gauche "? »

24

Nous devons opérer ici une sorte de reflux, ce qu'en littérature et au cinéma on nomme un « flash-back » : remonter de ce samedi matin où les Blorna fourbus et désolés rentraient chez eux de leur plus que bref séjour à la montagne, à ce vendredi matin où Katharina Blum retourna à la préfecture de police pour y subir un nouvel interrogatoire. Ce furent cette fois Mme Pletzer et un agent d'un certain âge tout juste armé qui vinrent la chercher, non point chez elle mais chez Mme Woltersheim qu'elle était allée rejoindre, en voiture cette fois, vers 5 h du matin. Mme Pletzer savait fort bien — et n'en fit d'ailleurs aucun mystère — qu'elle trouverait Katharina non pas chez elle mais chez sa marraine. (Il serait équitable de rappeler une fois encore les sacrifices consentis et les fatigues endurées par les Blorna : brutale interruption de leurs vacances, trajet en taxi jusqu'à l'aéroport d'I. Attente dans le brouillard. Nouveau trajet en taxi jusqu'à la gare. Train à destination de Francfort, d'où la nécessité d'en changer à Munich. Affreusement secoués dans le wagon-lit et à peine arrivés chez eux en début de matinée, confrontés au JOURNAL ! Plus tard — trop tard naturellement — Blorna se repentit de n'avoir pas téléphoné à Peter Hach plutôt qu'à Katharina dont il savait par le type du JOURNAL qu'elle subissait un interrogatoire.)

Ce qui frappa tous ceux qui le vendredi assistèrent au deuxième interrogatoire de Katharina — le commissaire Moeding, Mme Pletzer, les procureurs Korten et Hach, le greffier Anna Lockster qui jugeait profondément agaçante et ridicule la sensibilité tatillonne de Katharina quant au choix des mots — ce qui donc les frappa tous, ce fut l'humeur franchement radieuse de Beizmenne. Il entra dans la salle en se frottant les mains, s'adressa à Katharina avec une étonnante prévenance, allant même jusqu'à s'excuser de « certains manques d'égards » selon lui imputables non à sa fonction mais à sa personne car il était un type assez mal dégrossi. Il commença par examiner la liste des objets saisis établie entre-temps, à savoir :

1. Un calepin vert, éculé, de petit format, contenant exclusivement des adresses et des numéros de téléphone qui, vérifiés entre-temps, n'offraient en rien matière à suspicion. Katharina utilisait manifestement ce calepin depuis une dizaine d'années déjà. Le graphologue chargé d'y reconnaître éventuellement l'écriture de Götten (avant de déserter, celui-ci avait travaillé dans un bureau de la Bundeswehr où restaient donc de lui bon nombre de traces manuscrites) avait qualifié celle de Katha-

rina d'absolument exemplaire, qu'il se fût agi de la jeune fille de 16 ans qui avait noté l'adresse et le numéro de téléphone de Gerbers le boucher, ou de la jeune femme de 17 ans qui avait noté l'adresse et le numéro de téléphone du docteur Kluthen ou encore de celle de 20 ans qui avait noté l'adresse et le numéro de téléphone de M. Fehnern... et plus tard les adresses et numéros de téléphone d'un certain nombre de restaurateurs, traiteurs et collègues.

2. Relevés de compte de la caisse d'épargne, dont chaque virement ou retrait était très exactement identifié par une note en marge de la main même de Katharina. Versements, retraits... tout était correct et aucune des sommes transférées ne prêtait à équivoque. Il en allait de même pour sa comptabilité, pour les notes et avis rangés dans un petit classeur où elle tenait strictement à jour l'état de ses obligations envers la firme « Haftex » auprès de laquelle elle avait acquis son appartement dans « La résidence du bord de l'eau ». Enfin ses déclarations de revenus et le paiement de ses impôts, vérifiés avec le plus grand soin par un spécialiste, excluaient toute dissimulation d'une somme de quelque importance que ce soit. Beizmenne avait tenu au contrôle rigoureux de ses transactions financières, principalement au cours des deux dernières années qu'il appelait par plaisanterie « le temps des visiteurs ». Rien d'anormal. On découvrit que Katharina envoyait chaque mois à sa mère une somme de 150 marks et qu'elle avait souscrit à Kuir un abonnement chez Kolter pour l'entretien de la tombe de son père. Toutes ses factures (achat de mobilier, d'ustensiles de ménage, de vêtements, de linge et même d'essence) furent épluchées, sans que la moindre lacune y soit découverte. L'expert-comptable chargé de ce contrôle avait dit à Beizmenne en lui rendant le dossier : « Dis donc, le jour où tu en auras fini avec cette fille et si elle cherche une place, fais-moi signe.

C'est le genre de perle qu'on cherche partout sans jamais mettre la main dessus ! » Quant aux notes de téléphone, elles ne présentaient aucun caractère suspect ; Katharina n'avait manifestement presque jamais demandé de communication interurbaine.

On avait également découvert que Katharina Blum envoyait de temps à autre à son frère Kurt, actuellement incarcéré pour vol avec effraction, de petites sommes — entre 15 et 30 marks — pour l'amélioration de son ordinaire.

Elle ne payait pas l'impôt du culte. Il ressortait de ses documents financiers que dès l'âge de 19 ans, en 1966, elle avait quitté l'Eglise catholique.

3. Un autre calepin, en fait un carnet de comptes, comportait quatre rubriques.

La première contenait le détail de toutes les dépenses engagées pour le compte du ménage Blorna : achat de provisions et de produits d'entretien, frais de blanchissage et de teinturerie. (D'où il ressortait que Katharina repassait elle-même tout le linge de la maison.)

La seconde comportait la même catégorie de dépenses mais pour le compte cette fois du ménage Hiepertz.

La troisième concernait le propre ménage de Katharina qui réduisait manifestement ses débours au minimum. Certains mois, elle n'avait dépensé que de 30 à 50 marks pour sa nourriture. Elle allait apparemment assez souvent au cinéma (elle n'avait pas la télévision) et s'offrait de temps à autre du chocolat ou des bonbons.

La quatrième enfin se rapportait aux recettes et dépenses de Katharina relatives à ses occupations annexes — entre autres les frais d'achat et de nettoyage de ses vêtements de travail — ainsi que les frais d'entretien de sa Volkswagen. Au sujet de ses frais d'essence, Beizmenne, intervenant avec une amabilité

41

qui surprit tout le monde, demanda à Katharina comment s'expliquait une aussi forte consommation correspondant d'ailleurs au kilométrage singulièrement élevé inscrit au compteur. On avait établi que pour aller chez les Blorna et en revenir elle devait parcourir 6 km environ, pour aller chez les Hiepertz et en revenir environ 8 et pour aller chez Mme Woltersheim et en revenir environ 4. Si l'on comptait en moyenne par semaine — estimation généreuse — une occupation supplémentaire nécessitant — estimation non moins généreuse — un trajet aller-retour de 20 km qui, réparti sur les sept jours de la semaine, correspondait à 3 km par jour, on en arrivait grosso modo à un total de 21 à 22 km quotidiens. Sans doute Katharina n'allait-elle pas chaque jour rendre visite à Mme Woltersheim, mais on n'allait pas chicaner pour si peu. Et l'on arrivait ainsi à un total d'environ 8 000 km par an. Or, comme le prouvait la transaction conclue par écrit avec le vendeur, lorsque Katharina avait racheté sa voiture à Klormer six ans auparavant, le compteur marquait 56 000 km. En y ajoutant six fois 8 000 km, le kilométrage actuel aurait donc dû se situer aux environs de 104 000 km alors qu'il s'élevait à près de 162 000 km. On n'ignorait certes pas qu'elle avait de temps à autre rendu visite à sa mère à Gemmelsbroich puis à Kuir-Hochsackel où elle était hospitalisée, qu'elle était aussi allée plusieurs fois voir son frère en prison, mais la distance à couvrir pour gagner Gemmelsbroich ou Kuir-Hochsackel et en revenir se situait aux environs de 50 km et le trajet aller-retour pour voir son frère aux environs de 60 km. Or même en admettant qu'elle rendît à chacun d'eux une ou même deux visites par mois — estimation fort généreuse — et ce sans oublier que son frère n'était en prison que depuis dix-huit mois et habitait auparavant chez sa mère à Gemmelsbroich, on obtenait — toujours calculé sur six années — un supplément de 7 à 8 000 km, soit au total 112 000 km environ. Il restait donc une cinquantaine de milliers de kilomètres qui demeuraient inexplicables ou tout au moins inexpliqués. Quelle réponse pouvait-elle y apporter ? Il tenait certes à lui épargner toute allusion gênante, mais elle devait comprendre la nécessité de cette question : n'avait-elle pas rencontré régulièrement quelque part une ou plusieurs personnes, et où ?

A la fois fascinée et effrayée Katharina Blum, comme toutes les autres personnes présentes, écouta sans broncher l'exposé de Beizmenne développé d'une voix égale et douce. Il semble même que tout au long de cette analyse, elle n'ait pas un instant éprouvé la moindre colère, mais seulement une tension faite de fascination et de frayeur mêlées et due, non à sa recherche d'une explication aux 50 000 km supplémentaires, mais à l'effort de découvrir pour elle-même quand, pourquoi et vers quelle destination elle avait couvert tant de kilomètres. Car cette fois, et dès le début de l'interrogatoire, elle s'était montrée étonnamment peu effarouchée, presque « soumise », quoique peut-être légèrement anxieuse. Elle avait accepté une tasse de thé sans même exiger de la payer. Et lorsque Beizmenne eut fini de jongler avec les chiffres pour poser sa question, au dire de plusieurs, de *presque* toutes les personnes présentes, un soudain silence de mort régna alors dans la salle, comme si l'auditoire pressentait que, sur la base d'une constatation qui sans les frais d'essence aurait facilement pu passer inaperçue, quelqu'un venait de pénétrer un secret intime de la jeune Katharina Blum dont l'existence jusque-là n'avait apparemment caché nul mystère.

« Oui, c'est exact, dit Katharina Blum (dont la déclaration figure intégralement au procès-verbal), cela donne — je l'ai rapidement calculé de tête — une moyenne quotidienne d'environ 25 km. J'avoue n'avoir jamais réfléchi à la question ni songé aux frais ainsi entraînés. Il m'arrivait simplement de monter en voiture et de partir sans but... c'est-à-dire que celui-ci ne se précisait qu'ensuite... ou si vous préférez, je partais au hasard et c'est après seulement que mon itinéraire s'établissait en quelque sorte de lui-même : vers le sud en direction de Coblence ou vers l'ouest en direction d'Aix-la-Chapelle ou vers le nord en direction du Rhin inférieur. Pas tous les jours bien sûr. Je ne saurais même dire ni combien de fois ni à quelle fréquence. En général le soir après mon travail, quand il pleuvait et que j'étais seule. Non, je me reprends : c'est *seulement* lorsqu'il pleuvait que je partais faire un tour en voiture. Je ne sais pas au juste pourquoi. Vous savez déjà que parfois, après avoir terminé mon travail chez les Blorna, si les Hiepertz n'avaient pas besoin de mes services et si je n'avais pris aucun autre engagement professionnel, j'étais de retour chez moi dès 5 h du soir sans plus rien avoir à faire. Or je ne voulais pas être tout le temps fourrée chez Else, et surtout pas depuis qu'elle était si liée avec Konrad. Quant à aller au cinéma, vous le savez comme moi, ça n'est pas toujours sans inconvénients pour une femme seule. Il m'arrivait parfois aussi d'aller m'asseoir dans une église, non pour des motifs d'ordre religieux mais pour la tranquillité qui y règne... bien qu'à présent même dans une église une femme seule risque de se faire accoster, et pas seulement par des laïcs ! J'ai bien sûr quelques amis : Werner Klormer par exemple dont j'ai racheté la Volkswagen, sa femme et d'autres employés de chez Kloft, mais c'est toujours assez délicat et même pénible d'arriver seule parmi un groupe d'amis, les gens ayant toujours tendance à croire que vous voulez profiter de l'occasion pour mettre le grappin sur quelqu'un. Alors le soir, quand j'étais libre, je préférais m'installer au volant de ma voiture, brancher la radio et partir en randonnée, toujours sur des routes nationales — celles bordées d'arbres ayant ma préférence — et toujours sous la pluie. Il m'est arrivé d'aller ainsi jusqu'en Hollande ou en Belgique et d'y prendre un café ou une bière avant de rentrer. Oui, maintenant que vous me posez la question, tout cela se précise dans ma mémoire. Et si vous me demandez quelle était la fréquence de ces randonnées, je dirai : deux ou trois par mois, quelquefois moins mais quelquefois plus et en général je roulais longtemps, très longtemps pour ne rentrer chez moi, morte de fatigue, que vers 9 ou 10 h, voire même 11 h du soir. Ce qui m'y poussait aussi, c'était une certaine appréhension : je connais tant de femmes seules qui, le soir, se saoulent devant leur poste de télévision ! »

Le sourire indulgent avec lequel Beizmenne écouta sans commentaire ces explications ne permit de tirer aucune conclusion sur ce qu'il en pensait. Le commissaire principal marqua simplement son assentiment par un léger signe de tête et s'il se frotta de nouveau les mains, ce fut assurément parce que les renseignements fournis par Katharina Blum étaient venus confirmer l'une de ses théories. Pendant quelques instants le silence régna dans la pièce comme si l'auditoire était surpris ou péniblement affecté. Il semblait que pour la première fois Katharina Blum eût soulevé un coin du voile recouvrant sa vie intime. Du coup, les explications relatives aux autres objets saisis furent rapidement liquidées.

4. Un album de photos ne contenant que les photographies de personnes faciles à identifier. Le père de Katharina Blum, d'apparence souffreteuse, l'air aigri et faisant beaucoup plus que son âge. Sa mère, qu'on savait atteinte aujourd'hui d'un cancer dont elle se mourait. Son frère. Elle-même, Katharina, à 4 ans, 6 ans, 10 ans en première communiante, 20 ans en jeune mariée. Son mari. Le curé de Gemmelsbroich. Des voisins. Des parents. Plusieurs photos d'Else Woltersheim. Puis celle

d'un homme d'un certain âge et d'apparence très enjouée qu'on n'eut aucun mal à identifier comme étant M. Fehnern, le commissaire aux comptes ayant encouru une peine de prison. Pas la moindre photo d'un individu qui pût s'insérer dans les théories de Beizmenne.

5. Un passeport au nom de Katharina Brettloh née Blum. A propos de ce document, la jeune femme fut priée de préciser quels voyages elle avait entrepris et il ressortit de sa réponse qu'elle n'avait jamais « vraiment » voyagé car, mis à part quelques jours de maladie, elle n'avait jamais interrompu son travail. Sans doute M. Fehnern puis Me Blorna lui avaient-ils versé le montant de ses congés payés ; elle avait néanmoins soit continué à travailler pour eux, soit fait des extras.

6. Une vieille boîte de chocolats. Son contenu : quelques lettres — une douzaine à peine — de sa mère, de son frère, de son mari, de Mme Woltersheim ; mais aucune de ces missives ne contenait la moindre indication ayant un rapport quelconque avec le soupçon qui pesait sur la jeune femme. En plus des lettres, quelques photos en vrac de son père en uniforme de la Wehrmacht et de son mari en uniforme du corps des tambours, quelques feuilles arrachées d'un calendrier dont chacune était agrémentée d'un proverbe, une collection assez importante de recettes de cuisine rédigées à la main et une brochure sur « l'emploi du sherry dans les sauces ».

7. Un classeur contenant des certificats, des diplômes, quelques pièces officielles, l'ensemble des documents relatifs à son divorce et les actes notariés concernant l'achat de son appartement.

8. Trois trousseaux de clefs dont la fonction avait été vérifiée entre-temps : clefs de sa porte d'entrée et de son armoire, clefs de la porte d'entrée et de l'armoire des Blorna, clefs de la porte d'entrée et de l'armoire des Hiepertz.

Il fut établi et consigné au procès-verbal qu'aucun des objets énumérés ci-dessus ne présentait le moindre caractère suspect. L'explication fournie par Katharina Blum sur sa consommation d'essence et le nombre de kilomètres parcourus fut acceptée sans commentaire.

C'est alors seulement que Beizmenne tira de sa poche une bague portant un rubis serti de diamants qu'il y avait manifestement fourrée telle quelle, car il la frotta sur sa manche avant de la présenter à Katharina :

— Connaissez-vous cette bague ?

— Oui, répondit-elle sans la moindre hésitation ni gêne.

— Vous appartient-elle ?

— Oui.

— Connaissez-vous sa valeur ?

— Pas exactement, mais elle ne doit pas être bien grande.

— Eh bien, dit Beizmenne d'un ton aimable, nous l'avons fait estimer et par mesure de précaution, afin d'être sûrs de ne vous causer aucun préjudice, nous l'avons soumise non seulement à notre expert assermenté mais aussi à un bijoutier de la ville. Tous deux sont d'accord pour estimer la valeur de cette bague entre 8 et 10 000 marks. L'ignoriez-vous ? Je suis prêt à le croire, mais il faudrait alors que vous m'expliquiez comment elle est entrée en votre possession. Dans une enquête sur un criminel convaincu de vol et sérieusement soupçonné de meurtre, un bijou comme celui-là n'est pas une bagatelle et ne concerne pas seulement votre vie privée comme les milliers de kilomètres que vous avez parcourus en voiture sous la pluie. De qui vous vient cette bague, de Götten ou du « visiteur »... mais n'étaient-ils pas une seule et même personne, et sinon qui donc alliez-vous voir — en qualité de « visiteuse », si je puis me permettre cette plaisanterie —, quitte à parcourir pour cela des milliers de kilomètres ? Ce serait

47

pour nous un jeu d'enfant de déterminer de quelle bijouterie provient cette bague et si elle a été achetée ou volée, mais je voudrais vous donner une chance... en effet, je ne vous tiens pas pour une criminelle mais seulement pour une femme naïve et un peu trop romanesque. Comment pouvez-vous m'expliquer, nous expliquer, que vous qui passez pour une femme prude, presque bégueule, si bien que vos amis et connaissances vous ont surnommée « la nonne », que vous qui évitez les discothèques parce que ça y dégénère trop vite en bacchanale, que vous qui avez divorcé parce que votre mari devenait " importun "... comment pouvez-vous nous expliquer que n'ayant — prétendument — fait la connaissance de ce Götten qu'avant-hier, vous l'ayez le soir même — sur-le-champ, pourrait-on dire — ramené chez vous pour... eh bien disons : devenir intime avec lui ? Comment appelez-vous cela ? Le coup de foudre ? L'amour-passion ? La tendresse ? Ne voulez-vous pas reconnaître qu'il y a là quelque chose d'absurde et de bien peu fait pour vous laver de tout soupçon ? Et puis autre chose encore... (Sortant alors de la poche de sa veste une grande enveloppe blanche, il en retira une autre enveloppe de format normal mais assez extravagante : violette, doublée de papier crème). Cette enveloppe vide, que nous avons trouvée avec la bague dans le tiroir de votre table de nuit, a été timbrée le 12 février 1974 à 18 h au bureau de poste de la gare de Düsseldorf et vous était nommément adressée... Grand Dieu ! si vous avez un ami qui de temps à autre vient vous rendre visite et que vous allez rejoindre parfois, qui vous écrit des lettres et à l'occasion vous fait un cadeau, qu'attendez-vous pour nous le dire ? Ce n'est pas un crime ! Surtout si Götten n'a rien à y voir !

Il était évident aux yeux de toute l'assistance que Katharina reconnaissait la bague mais en avait ignoré la valeur et qu'à propos de ce bijou l'épineuse question du « visiteur » revenait sur le tapis. Katharina n'avait cette fois que légèrement rougi. Etait-ce par honte de voir sa réputation compromise ou par crainte de faire peser une menace sur quelqu'un qu'elle voulait tenir à l'écart de toute cette affaire ? Si elle renonça à prétendre que la bague était un cadeau de Götten, était-ce parce qu'elle savait qu'il eût paru assez invraisemblable de voir en lui ce genre de galant ? C'est en tout cas d'une voix calme, presque soumise, qu'elle s'expliqua : « Il est exact qu'à la soirée de Mme Woltersheim j'ai exclusivement et tendrement dansé avec Ludwig Götten que je voyais pour la première fois de ma vie et dont je n'ai appris le nom de famille que le lendemain matin, ici-même, lors de mon premier interrogatoire. Nous avons aussitôt éprouvé l'un pour l'autre une grande tendresse et, vers 10 h, avons quitté ensemble l'appartement de Mme Woltersheim pour rentrer chez moi.

« Sur l'origine de la bague, je ne puis... non, je me reprends : je ne veux donner aucun renseignement. Comme elle n'est pas entrée illégalement en ma possession, je ne me sens pas tenue d'en dévoiler l'origine. Quant à l'expéditeur de l'enveloppe que vous m'avez montrée, j'ignore son identité. Il doit s'agir d'un envoi publicitaire comme il y en a tant. Au fil des années je suis devenue assez connue dans les milieux de la restauration. Je ne puis toutefois fournir aucune explication sur le fait qu'une réclame m'ait été envoyée sans nom d'expéditeur dans une enveloppe de luxe. Je voudrais simplement vous faire remarquer que certaines publicités se donnent volontiers l'apparence de la distinction. »

Comme on lui demandait alors pourquoi, elle qui manifestement et de son propre aveu roulait si volontiers en voiture avait justement pris ce jour-là le tramway pour aller chez Mme Woltersheim, Katharina Blum répondit qu'ignorant si elle boirait peu ou beaucoup, elle avait trouvé plus sage de ne pas avoir à conduire au retour. A la question de savoir si elle buvait beaucoup et s'il lui arrivait même de s'enivrer, elle répondit que non, qu'elle buvait peu et ne s'était jamais enivrée. Une fois seulement, en présence et à l'instigation de son mari, lors d'une soirée organisée par le corps des tambours, *on* l'avait saoulée avec un truc à l'anis qui avait un goût de limonade. Elle avait appris plus tard que ce truc, d'ailleurs assez onéreux, était un moyen très apprécié de saouler les gens. Comme Beizmenne lui faisait alors remarquer que son explication — elle avait craint de boire trop — n'était pas valable puisqu'elle reconnaissait elle-même ne jamais boire beaucoup, et comme il lui demandait si elle ne voyait pas combien tout le portait à croire qu'elle avait pris rendez-vous avec Götten et savait par conséquent qu'elle n'aurait pas besoin de sa voiture puisqu'il la ramènerait dans la sienne, elle secoua la tête en signe de dénégation et affirma n'avoir dit que la stricte vérité. Quant à la question de l'alcool, elle avait eu à un moment donné très envie de prendre une bonne cuite mais y avait finalement renoncé.

Avant la pause de midi il fallut encore éclaircir un autre point : pourquoi Katharina Blum ne possédait-elle pas de carnet de chèques, ni bancaires ni postaux ? N'avait-elle pas un compte quelque part, ailleurs qu'à la caisse d'épargne ? Non, elle n'en avait pas d'autre. Dès qu'une somme, si petite fût-elle, se trouvait disponible, elle la consacrait aussitôt au remboursement du prêt à intérêts élevés qui lui avait été consenti pour l'achat de son appartement. Car les intérêts du prêt s'élevaient presque au double de ceux consentis par la caisse d'épargne ; quant aux intérêts d'un compte courant bancaire, ils étaient à peu près nuls. En outre elle trouvait les règlements par chèques plus onéreux et malcommodes. Elle préférait donc régler en espèces les dépenses courantes d'entretien de son intérieur et de sa voiture.

25

Certains refoulements, qu'on peut aussi nommer tensions, sont inévitables du fait que toutes les sources ne peuvent être détournées à la fois pour permettre au terrain en assèchement d'apparaître d'un seul coup à la vue. Mais d'inutiles tensions devant être évitées, le moment est venu d'expliquer pourquoi, en ce vendredi matin, Beizmenne et Katharina se firent tous deux si doux, si souples et si apprivoisés, bien que la jeune femme parût tout de même légèrement anxieuse ou intimidée. Sans doute LE JOURNAL, qu'une voisine attentionnée avait glissé sous la porte de Mme Woltersheim, avait-il provoqué le dépit, la colère, l'indignation, la honte et la peur des deux femmes, mais la conversation téléphonique de Katharina avec Blorna les avait aussitôt calmées et lorsque peu après Mme Pletzer avait ouvertement reconnu dès son arrivée que l'appartement de Katharina étant surveillé, elle savait devoir la trouver chez sa marraine, ajoutant qu'à son grand regret elle devait maintenant les emmener toutes deux à l'interrogatoire, la franchise et la prévenance de cette femme avaient momentanément chassé l'effroi provoqué par la lecture du JOURNAL. Katharina put ainsi revivre par la pensée une expérience nocturne qui l'avait rendue très heureuse : Ludwig lui avait téléphoné, et qui plus est de *là-bas* ! Il s'était montré si gentil qu'elle lui avait dissimulé ses ennuis pour qu'il ignorât en être la cause. Ils n'avaient pas non plus parlé d'amour... dès le début — alors qu'ils rentraient en voiture de chez Mme Woltersheim — elle le lui avait formellement interdit. Oui, oui, elle allait bien ; elle préférerait naturellement être auprès de lui et pour toujours ou du moins pour longtemps, de préférence même pour l'éternité ; elle allait se reposer pendant la période du carnaval et jamais, jamais plus elle ne danserait avec un autre que lui, ni jamais d'autres danses que sud-américaines mais toujours avec lui. Et lui, là-bas, comment allait-il ? Très bien installé, il ne manquait de rien et, puisqu'elle lui avait interdit de parler d'amour, il tenait quand même à lui dire qu'il éprouvait pour elle beaucoup, beaucoup d'affection et qu'un jour — il ne savait pas encore quand... ça pouvait signifier dans plusieurs mois, peut-être même dans un an ou deux — il viendrait la chercher ; pour aller où, il l'ignorait encore. Et ainsi de suite, comme peuvent bavarder au téléphone deux êtres qu'unit une grande tendresse réciproque. Aucune allusion à des détails intimes et pas un mot sur l'événement que Beizmenne (ou plus probablement Hach) avait défini de si grossière façon. Rien, encore une fois, que le petit bavardage habituel de deux êtres épris l'un de l'autre. L'entretien avait duré assez longtemps. Dix minutes, peut-être même davantage d'après ce que Katharina en avait dit à Else. Quant au vocabulaire concret de nos deux tourtereaux, peut-être pourrait-on renvoyer le lecteur à certains films modernes dont les protagonistes se téléphonent longuement — souvent à grande distance — pour se dire mille choses *apparemment* sans importance.

Ce fut aussi cet entretien de Katharina avec Ludwig qui motiva la décontraction, l'amabilité et la douceur de Beizmenne. Mais si le commissaire devinait, lui, la raison pour laquelle Katharina se révélait tout à coup si peu farouche, elle en revanche ne pouvait bien sûr imaginer que la bonne humeur de Beizmenne avait la même cause, quoique naturellement dans une perspective différente. (Cette curieuse et mémorable circonstance devrait nous inciter à téléphoner plus souvent, au besoin sans tendres murmures, car on ne sait jamais réellement qui ce genre de conversation peut réjouir.) Ajoutons que Beizmenne connaissait aussi la raison de l'inquiétude de Katharina, car il était au courant d'un autre appel anonyme.

Le lecteur est prié de ne pas rechercher les sources des informations confidentielles contenues dans ce chapitre. Il ne s'agit en effet que du déversement d'une flaque secondaire dont le contenu, une fois crevée la digue négligemment édifiée, s'écoule en devenant ruisseau jusqu'au moment où, la faible digue s'écroulant pour de bon, toute tension disparaît.

26

Afin d'éviter tout malentendu, il ne faut pas manquer de souligner qu'Else Woltersheim et Mᵉ Blorna savaient pertinemment que Katharina avait commis un acte répréhensible en facilitant la fuite de Götten qui avait bien dû, pour ce faire, lui avouer certains délits, fussent-ils ou non conformes à la vérité. Else Woltersheim ne s'était pas gênée d'ailleurs pour le lui dire en face, peu avant l'arrivée de Mme Pletzer. Quant à Blorna, il saisit la première occasion d'attirer l'attention de la jeune femme sur ce que sa conduite avait de condamnable. Nul ne doit ignorer non plus cette confidence de Katharina à Mme Woltersheim au sujet de Ludwig Götten : « Mon Dieu, c'est lui l'homme que j'appelais de mes vœux ! De tout temps je l'aurais épousé et eu des enfants de lui,... m'eût-il même fallu attendre des années durant sa sortie de prison. »

27

L'interrogatoire de Katharina Blum pouvait dès lors être considéré comme terminé. On lui demanda simplement de s'attendre à ce que les témoignages des personnes ayant assisté à la soirée de Mme Woltersheim provoquent de nouveaux interrogatoires. Il restait en effet à éclaircir un point qui, dans l'hypothèse chère à Beizmenne d'une conjuration et donc d'une rencontre convenue, revêtait une grande importance : comment Ludwig Götten était-il venu à cette fameuse soirée ?

Katharina se vit proposer soit de rentrer tout de suite chez elle soit d'attendre sa marraine dans tout autre lieu de son choix. Mais elle refusa de retourner dans son appartement pour lequel elle n'éprouvait plus qu'un profond dégoût, préférant donc attendre dans une cellule qu'on ait fini d'interroger Mme Woltersheim pour rentrer ensuite avec elle au domicile de celle-ci. C'est alors seulement que, tirant de son sac les deux éditions du JOURNAL, Katharina demanda si l'Etat — ce fut le terme qu'elle employa — ne pouvait rien faire pour la protéger de toute cette boue et lui rendre son honneur perdu. Elle tenait certes son interrogatoire pour parfaitement légitime tout en ne voyant pas très bien la nécessité d'y passer sa vie privée au crible jusque dans ses moindres détails ; en revanche, elle ne comprenait pas comment LE JOURNAL avait pu prendre connaissance de certains éléments de l'interrogatoire — par exemple l'affaire du « visiteur » — ni se permettre de dénaturer aussi honteusement ses déclarations. Le procureur Hach intervint alors pour lui expliquer qu'en raison de l'immense intérêt porté par le public à l'affaire Götten il avait bien fallu tenir la presse au courant des faits, qu'en raison aussi de l'émotion et de la peur provoquées par la fuite de Götten — fuite qu'elle-même avait facilitée — il serait bien difficile d'éviter une conférence de presse. De plus, ses relations avec Ludwig Götten avaient en quelque sorte fait d'elle un personnage de l'actualité qui suscitait en conséquence l'intérêt justifié du public. Mais si elle considérait certains propos comme offensants et peut-être même calomnieux, rien ne l'empêchait de porter plainte et, au cas où l'on constaterait une importante violation du secret de l'instruction, l'autorité judiciaire ne manquerait pas — il pouvait l'en assurer — d'intenter une action dirigée contre X pour l'aider à obtenir justice.

Cela dit, Katharina Blum fut conduite dans une pièce voisine où, renonçant à la placer sous une stricte surveillance, Beizmenne la confia simplement à celle d'une jeune auxiliaire non armée de la police, Renate Zündach, qui resta auprès d'elle et rapporta plus tard que pendant tout ce temps — deux heures et demie environ — Katharina Blum ne fit rien d'autre que lire et relire sans cesse les deux éditions du JOURNAL. Thé, sandwiches... elle avait tout refusé, non plus alors d'un ton agressif mais au contraire d'une voix molle et presque aimable. Et chaque fois que pour la distraire Renate Zündach avait essayé de mettre la conversation sur la mode, le cinéma ou la danse, Katharina s'y était obstinément dérobée. Ensuite, toujours dans l'espoir de détourner Katharina de cette lecture du JOURNAL à laquelle elle se cramponnait, elle avait demandé à son collègue Hüften de la remplacer quelques minutes, le temps d'aller chercher d'autres journaux dont les articles rendaient compte d'une manière tout à fait objective de l'implication de Katharina Blum dans l'affaire Götten et de son interrogatoire. C'étaient en troisième ou quatrième page de brefs comptes rendus où le nom de la jeune femme n'était même pas imprimé en toutes lettres ; on n'y parlait d'elle que comme d'une certaine Katharina B., gouvernante. Dans la *Umschau* par exemple seul un écho de dix lignes — sans photo naturellement — relatait la malheureuse implication dans l'affaire Götten d'une jeune femme rigoureusement intègre. En dépit de leur nombre — l'auxiliaire en avait rapporté une bonne dizaine — ces feuilles n'avaient pas réussi à réconforter Katharina qui s'était simplement exclamée : « Mais qui donc lit ce genre de journaux ? Tous les gens que je connais lisent LE JOURNAL ! »

28

Pour essayer de savoir comment Götten avait pu s'introduire chez elle, on commença par interroger Mme Woltersheim. Or il apparut dès les premiers instants qu'elle manifestait envers toute l'assemblée présente une hostilité sinon absolue, du moins plus virulente que celle de Katharina Blum. Elle commença par répondre à l'interrogatoire d'identité : née en 1930 et donc âgée de 44 ans, elle était célibataire et gouvernante d'intérieur non diplômée. Avant de déposer sur l'affaire, d'un ton froid et presque cassant qui donnait plus de poids à son indignation que ne l'eussent fait cris ou invectives, elle tint à exprimer son opinion sur le traitement révoltant que LE JOURNAL faisait subir à Katharina Blum et sur le fait que certains détails de l'interrogatoire avaient manifestement été transmis à ce genre de presse. Elle ne niait nullement la nécessité d'enquêter sur le rôle joué par Katharina dans l'affaire mais se demandait si l'on avait le droit de « détruire une jeune vie » comme on était en train de s'y appliquer. Elle qui connaissait Katharina depuis le jour de sa naissance, percevait déjà clairement les ravages causés en elle depuis la veille. Sans être psychologue de métier, elle considérait comme un symptôme des plus alarmants le fait que l'appartement auquel Katharina était si attachée et pour l'acquisition duquel elle avait tant travaillé ne lui inspirât plus que de la répulsion.

Il fut difficile d'endiguer le flot de paroles accusatrices de Mme Woltersheim. Beizmenne lui-même n'y parvint guère : lorsqu'il l'interrompit pour lui reprocher d'avoir reçu Götten chez elle, elle riposta qu'elle ignorait alors jusqu'à son nom car il ne s'était pas présenté à elle, personne ne le lui ayant présenté non plus. Elle savait seulement que le mercredi en question il était arrivé chez elle vers 19 h 30 en compagnie de Hertha Scheumel et d'une amie de celle-ci, Claudia Sterm, elle-même accompagnée d'un homme costumé en cheikh dont elle ne pouvait dire que deux choses : il se prénommait Karl et avait eu tout au long de la soirée un comportement vraiment bizarre. Quant à une rencontre convenue entre Katharina et ledit Götten, c'était absolument exclu car elle qui connaissait la vie de sa filleule jusque dans ses moindres détails n'avait jamais auparavant entendu le nom de ce garçon. Cependant, lorsqu'on lui mit sous les yeux la déclaration de Katharina relative à ses « étranges randonnées en voiture », elle fut bien obligée d'admettre qu'elle en ignorait tout, ce qui ne manqua pas de porter un coup fatal à sa prétendue connaissance du moindre détail de la vie de sa filleule. Questionnée sur le « visiteur », elle parut un instant fort embarrassée avant de répondre que, puisque Katharina avait refusé de s'expliquer à son sujet, elle garderait elle aussi le silence. La seule chose qu'elle acceptait de dire à ce propos, c'était qu'il s'agissait d'une histoire d'assez mauvais goût, sinon qu'en l'occurrence le mauvais goût n'était pas le fait de Katharina mais bien celui du visiteur. Si sa filleule l'y autorisait, et alors seulement, elle dirait là-dessus tout ce qu'elle savait. Mais elle tenait pour totalement exclu que les randonnées en voiture de Katharina aient jamais pu la conduire chez ce monsieur. Oui, celui-ci existait bel et bien, et si elle hésitait à en dire davantage sur lui, c'était de crainte de le ridiculiser affreusement. En tout cas dans ces deux affaires — celle de Götten comme celle du visiteur — l'honnêteté de Katharina ne pouvait être mise en doute. Katharina avait toujours été une fille studieuse et rangée, un peu timide ou plus exactement sauvage. Enfant, elle était même pieuse et pratiquante. Mais lorsque par la suite sa mère, qui faisait le ménage dans l'église de Gemmelsbroich, fut à plusieurs reprises convaincue d'indélicatesse et une fois même prise sur le fait alors qu'en compagnie du bedeau elle buvait du vin de messe dans la sacristie (on cria aussitôt à l'orgie et au scandale !), Katharina fut dès lors si malmenée à l'école par le curé qu'elle en éprouva une juste rancœur. Oui, Mme Blum, la mère de Katharina, était une femme très instable qui abusait parfois de l'alcool, mais à cela rien d'étonnant si l'on songeait à la série de malheurs qui avaient fondu sur elle : un mari — le père de Katharina — malade et aigri, revenu de la guerre à l'état d'épave et un fils — le frère de Katharina — qui... pourquoi mâcher ses mots ?... avait mal tourné. Mme Wolters-heim n'ignorait rien non plus du total fiasco qu'avait été le mariage de Katharina. Elle avait tout fait d'ailleurs à l'époque pour l'empêcher, car Brettloh — qu'on lui pardonnât cette expression — n'était qu'un bâton merdeux, d'une lâche servi-lité envers les autorités tant civiles que religieuses, et de surcroît un infect mouchard. Elle avait considéré le mariage précoce de Katharina comme une fuite hors de l'effroyable milieu fami-lial. Mais dès qu'elle eut échappé à celui-ci puis aux liens d'une union étourdiment contractée, Katharina devint une jeune femme manifestement exemplaire. Sa qualification profession-nelle ne pouvait être mise en doute, chose que Mme Wolter-sheim était prête à certifier non seulement de vive voix mais au besoin par écrit en sa qualité de membre du jury d'examen de la Chambre des métiers. Avec les nouvelles formes prises par les réceptions officielles et privées qui tendaient de plus en plus vers ce que l'on commençait à appeler « le buffetisme organisé », les chances d'une femme comme Katharina Blum, douée d'un sens aigu de l'organisation aussi bien matérielle que financière et qui de surcroît avait reçu, sur le plan esthétique, la meilleure formation possible, ces chances ne cessaient d'augmenter. Mais si l'on ne réussissait pas à lui faire obtenir réparation des offenses du JOURNAL, Katharina perdrait certainement tout intérêt pour sa profession, comme elle l'avait déjà perdu pour son appartement.

Parvenue à ce point de sa déclaration, Mme Woltersheim fut informée — tout comme l'avait été Katharina — de ce qu'engager des poursuites pénales contre certaines formes certes condamnables du journalisme n'était du ressort ni de la police ni du ministère public. Nul n'avait bien sûr le droit de porter inconsidérément atteinte à la liberté de la presse, cependant Mme Woltersheim pouvait être assurée qu'une plainte déposée par elle serait examinée en toute équité et, le cas échéant, entraînerait une action des autorités judiciaires dirigée contre X pour violation du secret de l'instruction. Ce fut alors au tour du jeune procureur Korten de se lancer en faveur de la liberté de la presse, dans un plaidoyer qu'on pourrait presque qualifier de passionné, en soulignant expressément que ceux qui évitaient les mauvaises fréquentations ne prêtaient pas le flanc aux propos plus ou moins injurieux des journaux. Quoi qu'il en fût, de toute cette affaire — c'est-à-dire de l'apparition de Götten et de l'inquiétant sieur Karl costumé en cheikh — Korten se voyait obligé de conclure à une curieuse négligence de la part de Mme Woltersheim dans le choix de ses fréquentations ; mais pour tirer vraiment les choses au clair, il allait devoir compter surtout sur les explications que pourraient lui fournir les deux jeunes demoiselles prétendument responsables d'avoir introduit chez elle ces deux individus. Quant à elle toutefois, Korten ne pouvait lui épargner le reproche de s'être montrée fort peu difficile dans le choix de ses invités. Après avoir riposté qu'elle n'admettait pas de se faire chapitrer par un homme nettement plus jeune qu'elle, Mme Woltersheim fit remarquer au procureur qu'elle avait en effet prié les deux demoiselles en question d'amener leurs cavaliers mais qu'à coup sûr elle ne songerait jamais à demander leur carte d'identité ni un certificat de bonne vie et mœurs aux amis de ses invités. Korten répliqua qu'elle n'en méritait pas moins une sévère remontrance, attirant en outre son attention sur le fait que son jeune âge à lui n'avait rien à voir en l'occurrence mais qu'en revanche sa fonction de procureur jouait ici un rôle considérable. D'ailleurs, poursuivit-il, il s'agissait d'une enquête sur une affaire sérieuse et grave, peut-être même des plus graves en matière de violence criminelle et à laquelle ce Ludwig Götten se trouvait indiscutablement mêlé. Aussi Mme Woltersheim devait-elle laisser au représentant du ministère public le soin de juger du bien-fondé de tel détail ou de telle observation. Comme on lui demandait de nouveau si Götten et le « visiteur » pouvaient n'être qu'une seule et même personne, elle répondit que la chose était absolument exclue. Mais à la question de savoir si elle connaissait personnellement le « visiteur », si elle l'avait même jamais vu ou rencontré, elle dut répondre par la négative. Ce qui, ajouté au fait qu'elle avait ignoré un détail aussi important que celui des étranges randonnées en voiture de sa filleule, amena l'assemblée à qualifier son interrogatoire de peu satisfaisant et à la congédier sans ménagements. Alors, avant de quitter la salle Mme Woltersheim, visiblement irritée, leur lança que le pseudo-cheikh nommé Karl lui avait paru au moins aussi suspect, sinon plus, que Ludwig Götten : il n'avait en effet pas cessé d'aller soliloquer aux cabinets pour finalement s'éclipser sans même avoir pris congé d'elle.

29

La preuve ayant été faite que des deux jeunes demoiselles c'était Hertha Scheumel, âgée de 17 ans et vendeuse de son métier, qui avait introduit Ludwig Götten chez Mme Woltersheim, ce fut donc elle qu'on interrogea en premier. Visiblement effrayée, elle déclara n'avoir encore jamais eu affaire à la police puis fournit une explication relativement plausible sur la façon dont elle avait fait la connaissance de Götten. « Avec mon amie Claudia Sterm qui travaille dans une chocolaterie, j'habite un studio avec cuisine et salle d'eau. Toutes deux originaires de Kuir-Oftersbroich, nous avons l'une et l'autre de vagues liens de parenté avec Mme Woltersheim et Katharina Blum. » (Alors qu'elle voulait se lancer dans une description plus précise de cette lointaine parenté en expliquant que certains grands-parents étaient cousins ou cousines d'autres grands-parents, elle fut interrompue par Beizmenne qui déclara juger amplement suffisant le terme de « parentes éloignées »). « Nous appelons Mme Woltersheim tante Else, poursuivit-elle alors, et considérons Katharina comme notre cousine. Ce soir-là, le mercredi 20 février 1974, nous étions, Claudia et moi, très embarrassées. Nous avions en effet promis à tante Else qui manquait de danseurs de lui amener nos amis respectifs. Or le mien qui sert actuellement dans la Bundeswehr, plus précisément dans le génie, avait de nouveau été subitement désigné pour la garde de nuit et j'ai eu beau l'engager à sauter le mur une fois de plus, il a refusé de crainte d'encourir ce coup-ci une sévère sanction disciplinaire. Quant à l'ami de Claudia, il était déjà tellement saoul au début de l'après-midi que nous avons dû le fourrer au lit. Alors, de peur de nous ridiculiser en arrivant seules chez tante Else, nous avons décidé d'aller dénicher des compagnons présentables au café Polkt. En période de carnaval il se passe toujours quelque chose au café Polkt. On s'y retrouve avant et après les bals, avant et après les spectacles, et l'on peut être sûr de toujours y rencontrer pas mal de garçons. Ce jour-là en fin d'après-midi l'ambiance y était déjà très sympa. Je fus invitée deux fois à danser par le jeune homme dont je viens d'apprendre qu'il se nomme Ludwig Götten et est recherché pour un grave délit. Pendant notre seconde danse, je lui ai demandé si ça lui ferait plaisir de m'accompagner à une petite soirée intime. Il a aussitôt sauté avec joie sur l'occasion, d'autant, me dit-il, qu'étant seulement de passage il n'avait pas de gîte et que, ne sachant où passer la soirée, il n'en serait que plus heureux de me suivre. Pendant que je prenais en quelque sorte rendez-vous avec ce Götten, Claudia dansait tout près de moi avec un homme costumé en cheikh. Ils ont certainement entendu notre conversation car le cheikh, dont je n'ai appris que plus tard qu'il se prénommait Karl, a aussitôt demandé à Claudia avec une fausse humilité qui se voulait comique s'il ne resterait pas par hasard une petite place pour lui à cette soirée car lui aussi était seul sans trop savoir où aller. Ayant ainsi atteint notre objectif, nous sommes peu après montées dans la voiture de Ludwig — je veux dire de M. Götten — pour aller chez tante Else. C'était une Porsche, pas très confortable pour quatre personnes, mais le trajet n'était pas long. A la question : Katharina Blum savait-elle que nous irions au café Polkt pour tenter d'y dénicher des partenaires, je réponds oui. Je lui avais téléphoné le matin même chez les Blorna dont elle tient le ménage pour lui expliquer que nos amis ne pouvant nous accompagner chez tante Else, Claudia et moi serions forcées d'y aller seules à moins de réussir à trouver d'ici là d'autres cavaliers, ajoutant que nous irions tenter notre chance au café Polkt. Katharina y était franchement opposée ; elle considérait que c'était faire preuve d'une coupable légèreté car nous risquions de tomber sur des fripouilles. Elle s'est toujours montrée très timorée dans ce genre d'affaires. D'où ma surprise quand je l'ai vue presque aussitôt mettre le grappin sur ce Götten et danser avec lui toute la soirée comme s'ils se connaissaient depuis toujours. »

30

La déclaration de Claudia Sterm confirma presque mot pour mot celle de son amie Hertha Scheumel. On n'y releva qu'une seule contradiction sur un point d'ailleurs tout à fait secondaire. Claudia Sterm prétendit en effet avoir dansé non point deux mais trois fois avec le cheikh Karl, celui-ci l'ayant invitée à danser avant que Götten n'invitât Hertha. Et, tout comme son amie, Claudia Sterm avait été extrêmement surprise de voir avec quelle rapidité Katharina Blum, pourtant connue pour sa pruderie, s'était révélée familière, presque intime même, avec Ludwig Götten.

31

Il fallut encore interroger trois autres personnes qui avaient participé à cette soirée, à savoir Konrad Beiters, marchand de tissus établi à son compte, âgé de 56 ans et ami de Mme Woltersheim, ainsi que M. et Mme Georg Plotten, respectivement âgés de 42 et 36 ans et tous deux fonctionnaires. Leurs témoignages concernant le déroulement de la soirée furent concordants, depuis l'arrivée de Katharina Blum bientôt suivie de celle de Hertha Scheumel accompagnée de Ludwig Götten et de Claudia Sterm en compagnie du nommé Karl déguisé en cheikh. Soirée d'ailleurs fort agréable : on avait beaucoup dansé, bavardé, et Karl s'était montré particulièrement spirituel. Selon Georg Plotten, la seule chose gênante — si l'on pouvait dire, car elle n'avait pas dû l'être pour les deux jeunes gens — avait été « la totale mainmise de Ludwig Götten sur Katharina Blum ». Cette prise de possession avait conféré à la soirée un caractère sérieux, presque solennel ne convenant guère à des fêtes de carnaval. Quant à Mme Hedwig Plotten, elle déclara qu'en allant chercher de la glace à la cuisine, elle avait aussi remarqué que le cheikh Karl soliloquait dans les cabinets et qu'il s'était esquivé peu après sans même prendre congé de personne.

32

Soumise à un nouvel interrogatoire, Katharina Blum confirma la teneur de sa conversation téléphonique avec Hertha Scheumel mais continua de nier farouchement avoir convenu d'un rendez-vous avec Ludwig Götten. Sur quoi, non pas Beizmenne mais Korten, le plus jeune des deux procureurs, l'engagea à avouer qu'après le coup de téléphone de Hertha Scheumel elle en avait reçu un autre, de Götten cette fois, et qu'avec une rare ingéniosité elle avait conseillé à celui-ci d'aller au café Polkt afin d'y aborder Hertha Scheumel, ce qui leur permettrait de se retrouver ensuite comme par hasard chez Mme Woltersheim. Götten n'aurait eu aucun mal à reconnaître Hertha Scheumel, une blonde qui portait toujours des toilettes assez criardes. Effondrée sur son siège, Katharina se contenta de secouer la tête, la main droite toujours crispée sur les deux éditions du JOURNAL. Alors seulement elle fut relâchée et quitta la préfecture de police en compagnie de Mme Woltersheim et de Konrad Beiters l'ami de celle-ci.

33

Tandis que l'on examinait une fois encore les procès-verbaux d'interrogatoire dûment signés pour voir s'ils ne présentaient pas d'éventuelles lacunes, le procureur Korten demanda si l'on ne devrait pas s'efforcer de mettre la main sur ce cheikh prénommé Karl pour tâcher d'éclaircir le rôle joué par lui dans cette affaire. Il s'étonnait fort qu'on n'ait encore rien entrepris de sérieux pour retrouver cet homme dont on savait pourtant qu'il était arrivé au café Polkt en même temps que Götten sinon avec lui et qu'il avait également réussi à se faire inviter chez Mme Woltersheim. Individu sinon suspect, du moins fort énigmatique, conclut le procureur Korten.

Ces derniers mots déclenchèrent l'hilarité générale. Mme Pletzer elle-même, cet agent féminin de la sûreté d'habitude si réservée, ne put réprimer un sourire. Quant à Mme Anna Lockster, le greffier, elle partit d'un rire si vulgaire que Beizmenne dut la rappeler à l'ordre. Comme Korten ne comprenait toujours pas, son confrère Hach décida d'éclairer enfin sa lanterne : Korten n'avait-il donc pas remarqué que le commissaire Beizmenne avait volontairement omis de se préoccuper du cheikh ? Celui-ci faisait bien évidemment partie de « la maison » et son prétendu soliloque dans les cabinets de Mme Woltersheim n'était rien d'autre que l'avertissement (certes malhabile) transmis à ses collègues par sa radio portative de prendre en chasse Ludwig Götten et Katharina Blum dont on avait bien sûr entre-temps relevé l'adresse. « Et vous comprendrez certainement, mon cher confrère, qu'en période de carnaval un costume de cheikh soit le meilleur camouflage possible car cette année et pour des raisons qu'il est facile d'imaginer, les cheikhs sont bien plus en vogue que les cow-boys. — Nous avions naturellement compris dès le début, ajouta Beizmenne, qu'en offrant aux bandits un excellent moyen de se camoufler le carnaval compliquerait d'autant notre tâche car, ne l'oubliez pas, depuis trente-six heures déjà nous suivions Ludwig Götten à la trace. Celui-ci, qui d'ailleurs n'était pas déguisé, a passé la nuit dans un mini-bus VW stationné dans le parking où il allait ensuite voler une Porsche. Puis il est allé prendre son petit déjeuner dans un café où il a disparu un bon moment dans les toilettes pour se raser et se changer. Nous ne l'avons jamais perdu de vue; une douzaine de nos hommes costumés en cheikhs, cow-boys ou Espagnols, tous munis d'une radio portative et se faisant passer pour des fêtards plus ou moins éméchés, l'ont suivi pas à pas, prêts à signaler aussitôt sa moindre prise de contact. Toutes les personnes avec lesquelles Götten est entré en rapport ont été interpellées et leur identité vérifiée, à savoir :

— le patron du bistrot où il a bu une bière au comptoir ;

— deux jeunes filles avec lesquelles il a dansé dans un cabaret de la vieille ville ;

— le pompiste d'un garage situé tout près du marché au bois, où il a fait le plein de la Porsche volée ;

— le marchand de journaux d'un kiosque de la rue Matthias ;

— un vendeur d'un bureau de tabac ;

— l'employé de banque qui lui a changé 700 dollars américains, fruit probable d'un hold-up.

« Il a été clairement établi que toutes ces rencontres étaient fortuites et non intentionnelles, qu'aucune des paroles échangées avec l'une ou l'autre de ces personnes ne permettait de conclure à l'existence d'un code. Mais je me refuse à croire que Katharina Blum ait été elle aussi une rencontre de hasard. Sa conversation téléphonique avec Hertha Scheumel, la ponctualité avec laquelle elle s'est présentée chez Mme Woltersheim, la maudite tendresse avec laquelle dès le premier instant ces deux-là ont dansé et la célérité avec laquelle ils ont ensuite filé ensemble... tout milite contre le hasard. Mais plus encore le fait qu'elle a soi-disant laissé partir Götten sans adieux alors qu'elle a certainement protégé sa fuite en lui indiquant une issue qui avait échappé à notre surveillance. Pas un instant nous n'avons perdu de vue l'immeuble qu'elle habite dans le grand ensemble du bord du fleuve. Nous ne pouvions évidemment surveiller toute la cité qui couvre près d'un kilomètre carré et demi. Elle devait donc connaître un passage dérobé qu'elle lui aura révélé. De plus, je suis convaincu qu'elle avait pour mission de lui assurer — comme à d'autres aussi peut-être — une position de repli et donc qu'elle sait très exactement où il se trouve. Nous avons procédé à des visites domiciliaires chez ses employeurs, entamé des recherches dans son village natal et de nouveau fouillé minutieusement l'appartement de Mme Woltersheim pendant son interrogatoire ici-même. Rien. Il me semble que le mieux serait de laisser Katharina Blum aller et venir librement dans l'espoir de la voir commettre une faute. Je pense que le chemin qui mène à la cachette de Götten passe par cet inquiétant visiteur et je suis sûr que celui qui mène au passage dérobé de l'immeuble passe par Mme Blorna dont nous savons aujourd'hui qu'on la surnommait jadis " Trude la Rouge " et qu'elle a collaboré au projet du grand ensemble. »

34

Voici venu le moment de constater que le premier reflux touche à sa fin et que l'on va bientôt quitter le vendredi pour en revenir au samedi. Tout sera fait pour éviter de nouveaux retours en arrière comme d'inutiles tensions. Mais il est peu probable qu'ils puissent être totalement évités.

Il serait toutefois fort instructif de savoir dès à présent qu'après son dernier interrogatoire du vendredi après-midi Katharina Blum a prié Else Woltersheim et Konrad Beiters de la conduire chez elle avant de la ramener chez sa marraine et de bien vouloir — « je vous en prie, je vous en prie ! » — l'accompagner tous deux jusque dans son appartement. Elle leur a avoué sa peur d'y retourner seule car pendant la nuit du jeudi au vendredi, peu après le coup de téléphone de Ludwig Götten (toute personne étrangère à l'affaire devrait voir la preuve de son innocence dans le fait que, sauf au cours des interrogatoires, Katharina parlait ouvertement de leurs liaisons téléphoniques !), quelque chose d'abominable lui était arrivé. A peine avait-elle raccroché à la fin de son entretien avec Götten que la sonnerie du téléphone avait de nouveau retenti. Dans le « fol espoir » d'entendre à nouveau la voix de son cher Ludwig, elle avait immédiatement décroché mais, au lieu de celle de Götten, c'était une voix d'homme « effroyablement sourde » qui « presque dans un murmure » ne lui avait débité que d'ignobles horreurs, et le pire était que ce type prétendait habiter l'immeuble et lui avait demandé pourquoi, si elle tenait tant à des manifestations de tendresse, elle allait chercher des contacts aussi lointains alors qu'il était en mesure de lui offrir sur place toutes les formes de tendresse imaginables. Voilà, c'était en raison de ce coup de téléphone que, prise de panique, elle avait rejoint Else en pleine nuit. Elle se trouvait dans une situation inextricable puisqu'elle espérait d'un côté un appel de Götten (elle-même ignorant son numéro de téléphone ne pouvait le joindre) et craignait de l'autre un nouvel appel anonyme.

D'autres frayeurs hélas, on ne saurait le cacher, attendaient Katharina Blum. Et celle pour commencer qu'allait provoquer le contenu de sa boîte aux lettres qui n'avait jusque-là joué dans sa vie qu'un rôle insignifiant et dans laquelle elle ne jetait un rapide coup d'œil que par routine pour s'apercevoir le plus souvent qu'elle était vide. Or en ce vendredi, elle débordait littéralement mais certes pas pour le plaisir de Katharina. Else Woltersheim et Konrad Beiters s'efforcèrent sans succès d'intercepter lettres et imprimés car la jeune femme ne se laissa pas surprendre et, dans l'espoir de trouver un mot de son cher Ludwig, jeta un rapide coup d'œil sur l'ensemble — une vingtaine de missives environ — puis, n'ayant manifestement pas trouvé ce qu'elle cherchait, fourra le tout dans son sac à main. Le trajet en ascenseur fut ensuite un véritable supplice car deux autres habitants de l'immeuble y avaient également pris place. Un homme costumé en cheikh (si incroyable que cela puisse paraître, force nous est de le rapporter) et qui, pour manifester ouvertement sa répugnance, se blottit dans un coin de la cabine mais, par bonheur, la quitta dès le quatrième étage. Une femme costumée en Andalouse (voilà qui paraît fou, mais ce qui est vrai est vrai) et qui, le visage dissimulé derrière un masque, loin de s'écarter de Katharina, resta au contraire plantée à côté d'elle pour de ses yeux noirs et durs la dévisager avec une curiosité teintée d'insolence ; elle allait au-delà du huitième étage.

A titre d'avertissement : il y aura pire. Tous trois entraient tout juste dans l'appartement — dont Katharina n'avait réussi à franchir le seuil qu'en se cramponnant à Mme Woltersheim et à Konrad Beiters — lorsque le téléphone sonna. Plus rapide cette fois que sa filleule, Mme Woltersheim se précipita sur l'appareil et décrocha. Les deux autres la virent blêmir d'horreur tandis qu'elle murmurait : « Espèce de salaud, espèce d'immonde salaud... » Après quoi, au lieu de raccrocher, elle posa fort judicieusement le combiné sur la table.

Lorsque en même temps que les deux éditions du JOURNAL Katharina retira son courrier de son sac, Mme Woltersheim et Konrad Beiters essayèrent de le lui subtiliser, mais elle refusa de lâcher prise, tenant absolument à lire sa correspondance ; et rien ni personne ne put l'en dissuader.

Ledit courrier n'était pas entièrement anonyme. Une lettre — la plus volumineuse — lui était adressée par « *Intimités* », entreprise de vente par correspondance qui lui proposait tous les accessoires possibles et imaginables relatifs au sexe. C'était déjà assez salé pour une âme aussi délicate que celle de Katharina mais, pire encore, quelqu'un avait ajouté à la main : « Les vraies caresses se font avec *eux*. » Pour nous résumer ou, mieux encore, proposer une statistique, les dix-huit autres missives se partageaient comme suit :

— sept cartes postales anonymes rédigées à la main et contenant des propositions grossières d'ordre sexuel qui toutes, d'une manière ou d'une autre, employaient le terme de « putain à communistes » ;

— quatre autres cartes postales anonymes émaillées d'insultes politiques mais sans proposition d'ordre sexuel. Ces insultes allaient de « souris rouge » à « paillasse du Kremlin » ;

— cinq lettres contenant des articles découpés dans LE JOURNAL et presque tous annotés en marge d'un commentaire à l'encre rouge. L'un de ceux-ci disait : « Ce que Staline n'a pu réussir ici, tu ne le réussiras pas non plus » ;

— deux enveloppes renfermant chacune une brochure d'ordre religieux avec annotations manuscrites, l'une : « Pauvre enfant égarée, tu dois rapprendre à prier » et l'autre : « Agenouille-toi et confesse que Dieu ne t'a pas encore abandonnée. »

Apercevant alors un billet glissé sous la porte, Else Wol-

tersheim réussit par bonheur à le dissimuler à Katharina :
« Pourquoi ne fais-tu aucun usage de mon répertoire de caresses ? Faudra-t-il t'imposer de force ton bonheur ? Attention à toi ! Ton voisin éconduit avec tant de dédain. » Bien que ce billet fût rédigé en caractères d'imprimerie, Else Woltersheim crut y reconnaître la marque d'une formation universitaire sinon même médicale.

35

Chose étonnante, ni Mme Woltersheim ni Konrad Beiters ne furent surpris — à preuve : ils ne songèrent même pas à intervenir — de voir Katharina se diriger vers le petit bar de sa salle de séjour pour en tirer une bouteille de sherry, une bouteille de whisky, une bouteille de vin rouge et une bouteille entamée de sirop de cerise avant de les lancer l'une après l'autre sans émotion particulière contre les murs immaculés où elles volèrent en éclats et se vidèrent de leur contenu.

Elle fit de même dans sa cuisine en projetant cette fois ketchup, huile, vinaigre et Worcester sauce. Faut-il ajouter qu'elle répéta l'opération dans sa salle de bains avec des flacons de crème, de la poudre de riz, du talc et de l'huile pour le bain, puis dans sa chambre à coucher avec un flacon d'eau de Cologne ?

Ce faisant, elle procéda avec une telle méthode et une telle absence d'émotion, elle parut si convaincue et si convaincante qu'Else Woltersheim et Konrad Beiters l'observèrent sans un geste pour la retenir.

36

Lorsqu'il s'est agi de déterminer le moment où Katharina a pour la première fois songé à commettre un meurtre ou forgé son criminel projet et décidé de l'exécuter, plusieurs thèses se sont affrontées. Pour certains, le premier article paru le jeudi dans LE JOURNAL a constitué un motif suffisant alors que pour d'autres le vendredi a été le jour décisif : violence accrue des attaques du JOURNAL, ruine de l'attachement éprouvé par Katharina pour son appartement, appel anonyme en pleine nuit, lettres anonymes... et là-dessus LE JOURNAL du samedi puis (ici, légère anticipation !) LE JOURNAL DU DIMANCHE. De telles spéculations ne sont-elles pas superflues ? Katharina a tout simplement projeté son meurtre et l'a perpétré... voilà tout ! Il est certain que quelque chose s'est durci en elle, que les déclarations de son ancien mari l'ont particulièrement exaspérée, et il est tout aussi certain que sans pour autant provoquer d'explosion, l'article paru ensuite dans LE JOURNAL DU DIMANCHE ne pouvait d'aucune manière avoir sur elle un effet apaisant.

37

Avant que le « flash-back » puisse être considéré comme définitivement terminé et que la lumière des projecteurs puisse être de nouveau braquée sur le samedi, il ne reste plus qu'à rendre compte du déroulement chez Mme Woltersheim de la soirée du vendredi et de la nuit du vendredi au samedi. Résultat d'ensemble : un déroulement étonnamment paisible. Sans doute les tentatives de diversion entreprises par Konrad Beiters qui mit un disque de musique de danse — sud-américaine de surcroît — et voulut faire danser Katharina échouèrent-elles, comme échoua la tentative de lui retirer LE JOURNAL et ses lettres anonymes, comme échoua enfin celle de minimiser à ses yeux l'importance de toute l'affaire en en soulignant le caractère éphémère. Mais enfin, n'avait-elle pas surmonté bien pire : une enfance misérable, son mariage avec cet infect Brettloh, l'ivrognerie et la déchéance — pour ne pas dire la dépravation — de sa mère, finalement responsable des écarts de conduite de Kurt ? Götten n'était-il pas pour l'heure en sécurité et sa promesse de venir la chercher ne devait-elle pas être prise au sérieux ? N'était-on pas en plein carnaval et Katharina n'était-elle pas à l'abri de tout souci financier ? N'existait-il pas des gens extrêmement gentils comme les Blorna ou les Hiepertz, et ce « vaniteux poseur » — on n'osait toujours pas désigner le visiteur par son nom — n'était-il pas au fond un personnage amusant sans être insupportable ? Katharina contesta ce dernier point, soulignant que « cette bague imbécile et cette enveloppe ridicule » l'avaient mise dans un sacré embarras en faisant peser de sérieux soupçons sur Ludwig. Comment aurait-elle pu deviner que pour satisfaire sa vanité, ce fat se lancerait dans d'aussi ridicules folies ? Non vraiment, elle ne lui trouvait rien d'amusant... Lorsqu'on en vint à parler de choses concrètes — ne devrait-elle pas chercher un autre appartement et ne faudrait-il pas dès maintenant réfléchir au choix du quartier ? — Katharina éluda la question, déclarant que pour l'heure son seul projet concret était de se confectionner un déguisement de carnaval, demandant à Else de lui prêter un grand drap de lit car, pour se plier aux caprices de la mode, elle avait l'intention de se balader samedi ou dimanche déguisée en Bédouine.

Que s'est-il donc produit de mauvais ? Tout bien considéré : presque rien ; et même, à vrai dire, ce qui s'est passé est plutôt positif car enfin Katharina a bel et bien rencontré celui « qu'elle appelait de tous ses vœux » et passé avec lui une nuit d'amour. Sans doute a-t-elle dû subir des interrogatoires et Ludwig n'a-t-il en effet rien d'un enfant de chœur... et puis il lui a fallu en vérité endurer les ordures habituelles du JOURNAL, les appels et les lettres anonymes de quelques salauds. Mais la vie s'arrête-t-elle pour autant ? Ludwig n'est-il pas bien installé et même, comme elle le sait, très confortablement ? Allons ! fabriquons un costume de carnaval, un haïk blanc qui siéra à merveille à notre jolie Katharina ! Et buvons donc un petit verre ensemble, pourquoi pas ?

Finalement la nature elle-même revendique ses droits et l'on s'assoupit, se réveille et s'assoupit encore. Tableau tout à fait paisible : une jeune femme qui s'est endormie sur son ouvrage de couture pendant qu'une femme et un homme plus âgés se meuvent tout doucement autour d'elle pour permettre à la nature d'obtenir son dû. Elle l'obtient si bien que la sonnerie du téléphone qui retentit vers 2 h 30 du matin ne réveille même pas Katharina. Pourquoi les mains de Mme Woltersheim, d'habitude si peu émotive, se mettent-elles soudain à trembler au moment où elle saisit l'écouteur ? Craint-elle des épanchements anonymes comme ceux qu'elle a dû subir quelques heures plus tôt ? Un appel téléphonique à 2 h 30 du matin a naturellement de quoi effrayer. Elle saisit néanmoins l'appareil que Beiters lui arrache aussitôt, mais à peine a-t-il dit « allô ! » qu'à l'autre bout du fil on a déjà raccroché. Et de nouveau la sonnerie retentit et de nouveau, sitôt que Beiters a décroché et sans même lui laisser cette fois le temps de dire « allô ! » on raccroche à l'autre bout. Il existe bien sûr des gens qui depuis que LE JOURNAL leur a appris votre nom et votre adresse cherchent à vous démolir les nerfs, aussi vaut-il mieux laisser l'appareil décroché.

On s'était alors bien promis d'éviter du moins à Katharina la lecture du JOURNAL du samedi. Mais au petit matin elle a profité du moment où Else s'étant endormie, Konrad Beiters se rasait dans la salle de bains, pour se glisser dans la rue et, devant le premier kiosque venu et encore fermé, prélever sur la liasse un exemplaire du JOURNAL, quitte à commettre ainsi vis-à-vis de ce quotidien une sorte de sacrilège en le lisant gratis.

A cet instant le « flash-back » peut être provisoirement déclaré terminé, car c'est précisément l'heure à laquelle. en ce même samedi les Blorna, descendant du train de nuit malheureux et fourbus, tombent sur la même édition du JOURNAL qu'ils étudieront plus tard chez eux.

38

Matinée pénible pour les Blorna, extrêmement pénible même, pas seulement à cause d'une nuit presque blanche dans un wagon-lit bringuebalant, ni seulement à cause du JOURNAL dont Mme Blorna déclare : « Cette ordure est capable de vous poursuivre dans le monde entier, on n'est plus nulle part en sécurité » ; pénible non seulement à cause des télégrammes pleins de reproches des gens de la « Lüstra », amis et relations d'affaires influents, mais aussi à cause de Peter Hach lorsque Me Blorna lui téléphone très tôt ce matin-là, trop tôt en vérité (mais en un sens trop tard aussi car, tout compte fait, mieux eût valu l'appeler dès le jeudi). Hach n'est pas très aimable au téléphone : il dit que l'interrogatoire de Katharina est terminé mais qu'il ignore encore si une procédure sera engagée contre elle ; que pour l'instant elle a certainement besoin d'assistance, quoique pas encore d'assistance en justice. Il rappelle également à son interlocuteur que le carnaval battant son plein, les procureurs ont droit comme les autres à un peu de repos et à quelques réjouissances... Ma foi, songe Blorna, comme voilà vingt-quatre ans déjà que nous nous connaissons, avec tant de souvenirs en commun — études, sports, chorales, randonnées — mieux vaut ne pas attacher trop d'importance à ces premiers instants de mauvaise humeur, d'autant que je me sens moi-même si profondément mal à l'aise... Mais Hach — chose étonnante de la part d'un procureur — lui déclare qu'il préférerait ne pas poursuivre cette conversation au téléphone, quitte à la reprendre plus tard en tête à tête. « Oui, des soupçons pèsent sur la jeune femme et bien des détails restent encore extrêmement obscurs ; mais voilà qui suffit, mieux vaut nous rencontrer cet après-midi pour en discuter seul à seul. Où ? Eh bien, quelque part en ville et de préférence tout en marchant. Rendez-vous donc à 16 h 30 dans le hall du musée... » Par ailleurs, Blorna ne parvient à joindre au téléphone ni Katharina, ni Mme Woltersheim, ni les Hiepertz.

Pénible aussi de ressentir aussi vite dans la maison les effets de l'absence de Katharina. Comment se peut-il qu'en l'espace d'une demi-heure, alors qu'on s'est borné à déposer les bagages dans le vestibule, à préparer un peu de café, à sortir le pain, le beurre et le miel du réfrigérateur, on ait une telle impression de chaos ? Et puis voilà Trude elle-même qui finit par s'énerver parce que Blorna ne cesse de lui demander quelle relation elle peut bien trouver entre l'affaire de Katharina et Aloïs Sträubleder ou même Lüding. Et Trude, sans se départir de son air ironique et faussement naïf qu'il aime tant d'habitude mais n'apprécie guère ce matin-là, se contente de le renvoyer aux deux éditions du JOURNAL dans lesquelles revient un terme qui aurait dû le frapper. Mais lorsqu'il lui demande le-

quel, d'un ton sarcastique elle refuse de le lui indiquer en prétendant vouloir mettre sa perspicacité à l'épreuve. Alors il lit et relit
« cette ordure, cette saloperie d'ordure bien capable de vous
poursuivre dans le monde entier », mais une telle falsification
de ses propos jointe à cette histoire de « Trude la Rouge » déchaînent en lui une colère qui l'empêche de se concentrer ;
si bien qu'il finit par capituler en priant humblement sa femme
de venir à son aide car, dit-il, sa fureur est telle qu'elle lui obscurcit l'esprit, sans compter que ça fait quand même pas mal
d'années qu'il n'exerce plus guère que comme avocat d'affaires.
« Hélas ! » lui répond-elle sèchement ; mais prise de compassion, elle ajoute : « le terme de ' visiteur ' ne t'a-t-il donc pas
frappé et ne te souviens-tu pas que je l'ai appliqué aux auteurs
de nos deux télégrammes ? Or, viendrait-il à l'idée de qui que
ce soit de qualifier ce Götting, ou Götten, de ' visiteur ' ?
Il suffit d'examiner de près ses photos, même en l'imaginant
dans d'autres vêtements, pour répondre non, n'est-ce pas ? Des
colocataires disposés à moucharder diraient de lui ce ' type ' ou
cet ' individu ', mais sûrement pas ce ' visiteur '. Par ailleurs,
me métamorphosant séance tenante en prophétesse, je te prédis,
d'ici une heure au plus tard, la venue de l'un desdits ' visiteurs ',
et je te prédis en outre de sérieuses contrariétés, certains conflits, sinon même la fin d'une vieille amitié... et par-dessus
le marché des ennuis avec ta Trude la Rouge et plus que des
ennuis avec Katharina qui possède deux qualités mortellement
dangereuses : fierté et fidélité. Car jamais, au grand jamais,
elle n'avouera avoir indiqué à ce garçon un moyen d'évasion,
celui-là même qu'elle et moi avions étudié ensemble... Du
calme, mon chéri, du calme ! Nul n'en saura rien mais, strictement parlant, je suis responsable de l'évasion de ce Götting,
ou Götten. Ne te souviens-tu pas que j'avais épinglé au mur
de ma chambre le plan complet des installations du grand

ensemble " La résidence du bord de l'eau " ? Les diverses
canalisations de service y étaient reportées en couleurs : rouge
pour le chauffage, bleu pour la ventilation, vert pour l'électricité
et jaune pour l'eau. Ce plan fascinait tellement Katharina — tu
connais son sens, je dirai même son génie de l'organisation —
qu'elle passait souvent de longs moments à le contempler,
m'interrogeant sur la signification de tous les éléments de ce
qu'elle appelait " ce tableau abstrait ". Et quant à moi, il s'en
est fallu de peu que je ne lui en offre une copie. Je suis plutôt
soulagée de ne l'avoir pas fait. Imagine qu'on ait trouvé chez
elle un exemplaire de ce plan ! Voilà qui aurait suffi à étayer
parfaitement la thèse de la conspiration et fait germer l'idée
d'une planque, tout en permettant d'établir un lien, d'abord
entre Trude la Rouge et les bandits, ensuite entre Katharina et
son ' visiteur '. Un tel plan constituerait, il est vrai, un instru-
ment idéal pour tous les types de cambrioleurs, amants clandes-
tins et autres, désireux d'entrer et de sortir de l'un des immeubles
sans être vus. J'ai même indiqué à Katharina la hauteur des
différents passages : ceux où l'on pouvait avancer debout,
ceux où il fallait marcher courbé et ceux où il fallait même
ramper sous tuyauteries et câbles. C'est par là et par là seulement que cet aimable gentleman, dont Katharina ne peut
plus recevoir qu'en rêve les caresses, a réussi à fausser compagnie à la police ; car s'il s'agit bien d'un pilleur de banques,
il n'aura pas été long à comprendre le système. Et pourquoi
le ' visiteur ' ne serait-il pas lui aussi entré et sorti par là ? Ces
grands ensembles modernes requièrent d'autres méthodes de
surveillance que nos anciens immeubles de rapport. Tu devrais
à l'occasion refiler le tuyau à la police et au ministère public :
ils font surveiller les issues principales, sans doute aussi le
hall et l'ascenseur, mais ils oublient l'existence de l'ascenseur
de service qui descend directement au sous-sol d'où il suffit

alors de se faufiler dans une gaine pendant quelques centaines de mètres puis, une fois dans les égouts, d'en soulever la première plaque venue pour que l'oiseau puisse s'envoler ! Mais pour en revenir à notre ' visiteur ' il est, crois-moi, dans de sales draps et ce dont il a le plus grand besoin, c'est d'un solide black-out sur les résultats de l'enquête et leur compte rendu ; car ce qu'il craint au moins autant que les manchettes des journaux, c'est le visage amer et maussade d'une certaine Maud à laquelle l'unissent les liens du mariage tant civil que religieux et dont il a eu quatre enfants. N'as-tu donc jamais remarqué la joie juvénile, presque exubérante qu'il éprouvait à danser ici avec Katharina et aussi, je dois le dire, son extrême gentillesse envers elle ? N'as-tu pas remarqué non plus comme il insistait chaque fois pour la ramener chez elle et sa déception puérile le jour où il a appris qu'elle possédait désormais sa propre voiture ? Ce qu'il recherchait, ce que son cœur désirait, c'était un être aussi délicieux que Katharina, nullement frivole mais cependant — comment dites-vous ? — faite pour l'amour, sérieuse mais jeune et d'une beauté qu'elle-même ignore. Et toi, n'a-t-elle pas aussi bien souvent réjoui ton cœur ? »

Que si, il est tout à fait vrai qu'elle a aussi réjoui son cœur. Il l'admet sans façon et aussi qu'il éprouve pour elle plus, beaucoup plus que de l'amitié. Trude n'ignore d'ailleurs pas que chaque individu, et pas seulement du sexe masculin, éprouve parfois devant un être l'irrépressible envie de le prendre dans ses bras, sinon même davantage encore... mais pas Katharina, non, il y a en elle quelque chose qui l'en aurait toujours détourné, lui Blorna. Et s'il s'est senti empêché de devenir ou plus exactement d'essayer de devenir le « visiteur » de Katharina, ce n'est pas — et Trude sait comment il l'entend — par respect ni par égard pour sa propre femme, mais par respect pour Katharina, oui par respect et même par vénération... une tendre vénération pour son innocence, et plus encore que de l'innocence, une vertu qu'il ne sait comment désigner. C'est cette étrange, cette affectueuse réserve de Katharina et puis aussi la façon étonnante — même pour un homme comme lui, de quinze ans son aîné et qui a réussi, Dieu sait, à mener sa barque — dont à la force du poignet elle a su organiser une vie pourtant si mal engagée. Oui, c'est tout cela qui, s'il avait jamais eu ce genre de pensée, l'aurait empêché de devenir son ' visiteur ', car il aurait craint de la détruire, elle si vulnérable, si terriblement vulnérable... Mais s'il doit s'avérer jamais qu'Aloïs est effectivement ledit ' visiteur ', eh bien oui, il lui cassera la gueule... Ah ! il lui faut absolument voler au secours de cette pauvre Katharina : elle n'est pas de force à supporter tous ces interrogatoires, contre-interrogatoires et autres stratagèmes. Mais voilà qu'il est déjà bien tard, trop tard peut-être. Il faut absolument la dénicher aujourd'hui même... Arrivé à ce point de ses si instructives réflexions, Blorna est interrompu par Trude qui avec sa sécheresse habituelle lui déclare : « Le ' visiteur ' vient d'arrêter sa voiture devant notre porte. »

39

Il serait bon de souligner sans tarder que Blorna n'a pas ' cassé la gueule ' de Sträubleder qui venait en effet d'arriver à bord d'une somptueuse voiture de louage. Il faut non seulement qu'ici coule aussi peu de sang que possible, mais encore que la description de la violence physique, si elle ne peut être totalement évitée, se limite au minimum exigé par la nécessité du compte rendu. Cela ne signifie nullement que l'atmosphère qui régnait chez les Blorna se soit alors détendue : elle devint au contraire plus tendue encore, Trude n'ayant pu s'empêcher, tout en faisant fondre son sucre dans sa tasse de café, d'accueillir leur vieil ami par ces mots : « Salut, visiteur ! » — « Je suppose, dit Blorna gêné, qu'une fois de plus Trude a touché juste ? » — « Certes, répondit Sträubleder, mais la question reste de savoir si c'est toujours avec tact ! »

Il ne faut pas manquer d'informer ici le lecteur qu'entre Mme Blorna et Aloïs Sträubleder subsistait un état de tension presque intolérable depuis le jour où celui-ci avait essayé, non pas exactement de la séduire mais du moins d'engager avec elle un flirt très poussé ; elle lui avait alors donné à entendre avec sa sécheresse coutumière qu'il ne suffisait pas de se croire irrésistible pour l'être, car à ses yeux du moins il ne l'était pas. On comprendra dans ces conditions que Blorna ait aussitôt emmené Sträubleder dans son cabinet de travail en priant sa femme de les laisser seuls et de tout faire entre-temps (« temps entre quoi ? » demanda-t-elle) pour dénicher Katharina.

40

Pourquoi votre cabinet de travail vous paraît-il soudain si hideux, presque sale et sens dessus dessous bien qu'aucune trace de poussière n'y soit décelable et que chaque chose y soit à sa place ? Qu'est-ce qui rend soudain si repoussants ces fauteuils de cuir rouge dans lesquels vous avez débrouillé au mieux tant d'affaires complexes, mené tant d'entretiens confidentiels et où l'on peut aussi s'installer si confortablement pour écouter de la musique ? Qu'est-ce qui rend soudain si répugnantes vos étagères de livres et franchement suspect le tableau signé Chagall, comme s'il s'agissait d'un faux exécuté par l'artiste lui-même ? Cendrier, briquet, flacon de whisky... qu'avez-vous contre ces objets, coûteux certes, mais inoffensifs ? Qu'est-ce donc qui rend si insupportable cette pénible matinée succédant à une nuit tout aussi pénible, et si forte la tension entre deux vieux amis que semblent devoir en jaillir des étincelles ? Qu'avez-vous contre ces murs tendus de toile de jute beige, ornés d'œuvres modernes ?

— Eh bien, dit Aloïs Sträubleder, je suis simplement venu t'informer que je n'ai plus besoin de ton aide dans la présente affaire. A l'aéroport tu t'es une fois de plus affolé ; or une heure après que vous ayez perdu la tête ou perdu patience à cause du brouillard, celui-ci s'est dissipé, ce qui vous aurait permis d'être ici aux alentours de 18 h 30. De même qu'en réfléchissant posément au lieu de vous affoler, vous auriez pu téléphoner à l'aéroport de Munich pour en apprendre que le trafic aérien y était parfaitement normal. Mais oublions tout cela. Et comme je tiens à jouer franc jeu avec toi, je te dirai que s'il n'y avait pas eu de brouillard et donc que l'avion soit parti à l'heure dite, tu serais tout de même arrivé trop tard parce que la partie décisive de l'interrogatoire était déjà terminée, si bien que rien ne pouvait plus alors être empêché.

— Je n'ai en tout cas aucun moyen d'agir contre LE JOURNAL, dit Blorna.

— Pour moi, répond Sträubleder, LE JOURNAL n'est pas dangereux car Lüding le tient bien en main ; mais il existe d'autres journaux et la seule manchette que je craigne d'y voir est celle qui établirait un lien entre ces bandits et moi. Une aventure romanesque étalée au grand jour me vaudrait tout au plus des ennuis d'ordre privé, mais non public. Même une photo de moi aux côtés d'une jeune femme aussi séduisante que Katharina Blum ne me porterait pas tort. Au demeurant, la thèse du visiteur sera abandonnée et pas plus le bijou que l'enveloppe — eh bien oui, je lui ai offert la bague d'un certain prix trouvée chez elle, tout·comme je lui ai adressé quelques lettres dont on

82

n'a retrouvé qu'une enveloppe vide — ni l'un ni l'autre ne pourront me causer d'ennuis. Le vrai danger vient de ce que sous un pseudonyme le dénommé Tötges fait publier par des illustrés les articles que LE JOURNAL lui a refusés et aussi de ce que Katharina — mais oui — lui a promis une interview exclusive. Je viens tout juste de l'apprendre par Lüding qui, puisqu'il n'y a rien à craindre du JOURNAL, se déclare plutôt favorable à cette interview. Il oublie cependant que nous n'avons aucune influence sur les activités journalistiques que Tötges mène sous un autre nom. Mais tu ne m'as pas l'air très informé, dis donc ?

— Je ne suis au courant de rien.

— Curieuse situation pour un avocat dont je suis le mandant. Voilà ce qui arrive quand on perd stupidement son temps dans des trains bringuebalants au lieu de se mettre en rapport avec un service météorologique prêt à vous révéler que le brouillard va bientôt se lever. Tu n'as donc pas encore joint Katharina ?

— Non, et toi ?

— Pas directement. Je sais seulement qu'il y a une heure environ elle a téléphoné au JOURNAL pour proposer à Tötges de lui accorder demain après-midi une interview exclusive, ce qu'il a naturellement accepté. Mais il y a autre chose encore qui me cause plus, infiniment plus de souci et me donne même des crampes d'estomac... (l'émotion se peint sur son visage et l'inquiétude perce dans sa voix) : à partir de demain tu pourras m'injurier tant que tu voudras car j'ai effectivement abusé de votre confiance... mais enfin nous vivons bel et bien dans un pays libre où nous avons le loisir de mener notre vie sentimentale à notre guise ! Or crois-moi, je serais prêt à faire n'importe quoi pour aider Katharina, je mettrais même au besoin ma réputation en jeu car vois-tu — ris si le cœur t'en dit — je l'aime ! Seulement voilà, si on peut encore quelque chose pour moi, on ne peut en revanche plus rien pour elle qui refuse toute aide...

— Et tu ne peux pas l'aider non plus contre LE JOURNAL, contre cette bande de sagouins ?

— Mon Dieu, il n'y a pas là de quoi dramatiser même si pour le moment LE JOURNAL vous malmène un peu. Et ça n'est quand même pas l'heure d'une discussion sur les journaux à sensation et la liberté de la presse ? Bref, j'aimerais qu'en ta qualité d'avocat, le mien *et* celui de Katharina, tu assistes à l'interview. Sache en effet que l'élément le plus scabreux de cette affaire n'a encore été révélé ni au cours des interrogatoires ni dans la presse : il y a six mois environ j'ai forcé Katharina à accepter la clef de notre résidence secondaire de Kohlforstenheim. Or cette clef n'a été retrouvée ni sur elle lors de sa fouille ni chez elle lors de la perquisition. Cette clef pourtant, elle *l'a* ou du moins l'a eue à moins qu'elle ne l'ait tout bonnement jetée dans un égout. C'était de ma part sentimentalité pure j'en conviens, mais vois-tu je tenais à ce qu'elle ait la clef de la villa, espérant toujours qu'elle finirait par venir m'y retrouver. Crois-moi, je voudrais l'aider, c'est la vérité pure. Je serais même prêt à aller à la préfecture de police pour leur avouer que c'était moi le visiteur. Mais je sais que Katharina me désavouerait. Il n'y a qu'un homme au monde qu'elle ne désavouera sans doute jamais, c'est ce Ludwig de son cœur.

Une expression toute nouvelle, surprenante, se peignit alors sur le visage de Sträubleder, éveillant sinon vraiment la pitié de Blorna, du moins sa curiosité. Quelque chose qui ressemblait à de l'humilité... ou alors à de la jalousie ?

— Qu'est-ce que c'est que cette histoire de bague, de lettres et pour finir de clef ?

— Mais voyons, Hubert, n'as-tu donc encore rien compris ?

C'est quelque chose que je ne puis révéler ni à Lüding, ni à Hach, et encore moins à la police... car je suis sûr que Katharina a refilé ma clef à ce Ludwig et que depuis deux jours le lascar se terre chez moi à Kohlforstenheim. J'ai peur pour elle, peur pour les policiers, peur même pour ce petit idiot dans sa cachette. Je voudrais qu'il disparaisse avant qu'on ne l'y découvre mais souhaite en même temps qu'on l'attrape pour en finir avec toute cette affaire. Comprends-tu maintenant ? Et que me conseilles-tu ?

— Tu pourrais téléphoner là-bas, je veux dire : à Kohlforstenheim.

— Et tu crois que s'il y est il répondra au téléphone ?

— Alors alerte la police, il n'y a pas d'autre solution. Ne serait-ce que pour prévenir un malheur. Garde au besoin l'anonymat. Même s'il n'y a qu'une chance minime que Götten soit chez toi, tu dois immédiatement prévenir la police. Ou alors ce sera moi.

— Pour que les manchettes des journaux associent mon nom à celui de cette crapule ? Non, j'ai une autre idée... je pense qu'en tant que mon avocat tu pourrais peut-être aller là-bas, à Kohlforstenheim, pour voir ce qui s'y passe.

— Maintenant ? Le samedi du carnaval, alors que LE JOURNAL sait déjà que j'ai brusquement interrompu mes vacances... et le seul motif de mon retour précipité serait d'aller voir ce qui se passe dans ta maison de campagne ? De m'assurer que ton réfrigérateur n'est pas en panne, que le thermostat du chauffage central est bien réglé, qu'aucune vitre n'est brisée, que le bar est suffisamment bien garni et que les draps de lit ne sont pas humides ? C'est pour cette raison qu'un avocat d'affaires jouissant d'une solide réputation, maître d'une luxueuse villa avec piscine et marié à ' Trude la Rouge ' rentre précipitamment de vacances ? Crois-tu vraiment que ce soit une bonne idée au moment où ces messieurs les reporters du JOURNAL épient certainement le moindre de mes gestes ? A peine descendu du train, je fonce vers ta villa pour voir si les crocus vont bientôt éclore ou si les perce-neige fleurissent déjà ? Crois-tu vraiment que ce soit une chose à faire... sans même parler de ce que notre charmant Ludwig a déjà prouvé qu'il était un excellent tireur ?

— Crénom de nom, penses-tu vraiment que le moment soit bien choisi pour ironiser ou plaisanter ? Je te demande, à toi mon avocat et mon ami, un service non pas tant dans mon intérêt personnel que dans celui de la communauté... et tu viens me parler de perce-neige ! Depuis hier soir un tel secret entoure toute cette affaire que nous n'avons plus reçu l'ombre d'une information de la préfecture de police. Tout ce que nous savons, nous le savons par LE JOURNAL avec lequel, par bonheur, Lüding entretient des relations suivies. La police et le ministère public n'en réfèrent même plus au ministère de l'Intérieur avec lequel Lüding entretient aussi de bons rapports. Hubert, comprends-moi, c'est une question de vie ou de mort !

A cet instant Trude entra sans frapper, son poste à transistors à la main, et prononça d'une voix calme :

— Ce n'est plus une question de mort mais seulement de vie, Dieu merci ! Le garçon s'est fait prendre, il a commis la bêtise de tirer sur la police qui a riposté. Il a été blessé, légèrement d'ailleurs, dans ton jardin, Aloïs, entre piscine et pergola. On parle à la radio de la luxueuse villa, estimée à un demi-million de marks, d'un associé de Lüding. Au demeurant, il existe encore des gentlemen : la première déclaration de notre bon Ludwig précise que Katharina n'a rien à voir dans l'affaire, qu'il s'agit uniquement entre eux d'une histoire d'amour sans le moindre rapport avec les délits qui lui sont reprochés et qu'il continue d'ailleurs de nier. Mon cher Aloïs, tu devras probablement faire remplacer quelques vitres car on a pas mal tiraillé dans le coin. Ton nom n'a pas encore été cité, mais peut-être ferais-tu quand même mieux de téléphoner à Maud qui doit être dans tous ses états. Cela dit, en même temps que Götten on a arrêté ailleurs trois de ses présumés complices. Ce magistral coup de filet serait l'œuvre d'un certain commissaire Beizmenne. Et maintenant mon cher Aloïs, tu ferais mieux de filer et, pour changer, de te muer en ' visiteur ' de ta tendre épouse.

On peut aisément imaginer qu'à ce moment-là le cabinet de travail de Mᵉ Blorna ait risqué de devenir le théâtre de violences physiques vraiment incompatibles avec le décor de la pièce comme avec le standing de ses occupants. Sträubleder aurait — *aurait* — bel et bien essayé de sauter à la gorge de Trude Blorna, mais le mari de celle-ci l'en aurait empêché non sans lui faire remarquer qu'on ne portait pas la main sur une dame. Sträubleder lui aurait — *aurait* — répondu qu'il n'était pas si sûr qu'on pût qualifier de ' dame ' une pareille langue de vipère et qu'il existait précisément des mots qu'on n'avait pas le droit d'employer ironiquement dans certaines circonstances et surtout à l'annonce d'événements tragiques, ajoutant que s'il entendait encore une fois, une seule fois, le mot fatidique, alors... eh bien alors tout serait fini entre eux. Il venait à peine de quitter la maison et Blorna commençait tout juste à dire à Trude qu'elle était quand même allée un peu trop loin peut-être, quand celle-ci lui coupa brusquement la parole en déclarant : « Je viens de dénicher Katharina à Kuir-Hochsackel. Sa mère y est morte cette nuit. »

41

Avant d'amorcer les ultimes manœuvres de déviation, déri-vation, diversion, qu'il nous soit permis d'ouvrir ici une paren-thèse qu'on pourrait qualifier de technique. Il se passe trop de choses dans cette histoire. Trop d'événements s'y bousculent qui nuisent au déroulement de l'action. Il est certes affligeant qu'une gouvernante d'intérieur abatte un journaliste et c'est donc une affaire qu'il faut tirer au clair ou du moins tenter d'expliquer. Mais que faire d'un avocat réputé qui à cause d'une gouvernante d'intérieur interrompt brusquement des vacances d'hiver pourtant bien méritées ? Que faire d'un industriel (par ailleurs professeur et tête pensante d'un parti politique) qui, témoignant d'une sentimentalité plutôt niaise, contraint cette même gouvernante d'intérieur à accepter la clef de sa rési-dence secondaire dans l'espoir d'y recevoir sa visite (espoir déçu comme l'on sait) et qui n'est pas ennemi d'une certaine publicité, quoique à sens unique ? Toutes choses et gens impossi-bles à accorder entre eux et qui ne cessent de troubler le cours du fleuve (ou le déroulement linéaire de l'action) parce qu'ils jouissent en quelque sorte de l'immunité. Que faire d'un com-missaire de police qui demande sans cesse des écoutes et les obtient d'ailleurs ? Bref, pour un chroniqueur tout est trop transparent pour au moment décisif ne l'être pourtant plus assez, car s'il peut en effet apprendre ceci ou cela (disons du procu-reur Hach ou de certains membres masculins et féminins de la police), rien en revanche, absolument rien de ce que lui confient ces gens ne saurait constituer la moindre preuve, en cela qu'aucun de leurs propos ne serait jamais confirmé ni même énoncé devant quelque tribunal que ce soit. Leurs confidences ne peuvent donc avoir ni force de témoignage

ni valeur officielle quelconque. Prenons par exemple cette affaire de table d'écoute. L'interception des conversations téléphoniques est bien sûr de nature à faciliter l'enquête, mais du
seul fait qu'elle est opérée par une autorité autre que celle
chargée de l'enquête, son résultat ne peut être utilisé ni même
seulement mentionné dans une procédure officielle. Mais surtout : que se passe-t-il dans ce qu'il est convenu d'appeler le
psychisme du préposé à la table d'écoute ? Que pense un
fonctionnaire intègre qui ne fait que son devoir, qui le fait (alors
qu'il y répugne peut-être) non pas tant par obligation d'obtem-
pérer que par l'évidente nécessité de gagner son pain, que
pense-t-il en entendant les propos qu'un individu habitant
« La résidence du bord de l'eau » (pour simplifier, nous l'appel-
lerons le satyre) tient au téléphone à une jeune femme aussi
charmante et quasiment irréprochable que Katharina Blum ?
Ressent-il un trouble moral ou sexuel ou encore les deux ?
S'indigne-t-il, éprouve-t-il de la compassion ou à l'inverse un
étrange plaisir à constater que des propositions murmurées
d'une voix rauque et menaçante blessent jusqu'au fond de
l'âme une jeune femme surnommée « la nonne » ? Bref, s'il
se passe pas mal de choses sur le devant de la scène, il s'en
passe bien davantage encore en coulisse. Que pense un inoffen-
sif préposé à la table d'écoute — qui y gagne péniblement
son pain — quand, par exemple, un certain Lüding, dont le nom
a déjà été incidemment mentionné ici, appelle la rédaction du
JOURNAL et dicte : « Pas un mot sur S. mais feu vert pour
B. » Oh, si l'on écoute les communications téléphoniques de
Lüding, ce n'est certes pas pour le surveiller *lui* mais parce qu'il
risque d'être la victime de maîtres chanteurs, de politiciens
véreux ou autres. Et d'ailleurs comment un préposé intègre
pourrait-il savoir que S. signifie Sträubleder et B. Blorna, donc
que LE JOURNAL DU DIMANCHE ne publiera aucun com-

mentaire sur S. mais s'étendra longuement sur le cas de B. ? Et pourtant — mais qui pourrait le savoir ou même seulement le deviner ? — Lüding tient Blorna en très haute estime, car en d'innombrables occasions ce brillant avocat a prouvé son savoir-faire tant sur le plan national qu'international. Et c'est exactement ce qu'au début de ce récit nous voulions exprimer en faisant allusion à des « sources qui ne peuvent se rejoindre »... Or voici que Mme Lüding fait téléphoner par sa cuisinière à la secrétaire de son mari pour qu'elle demande à celui-ci ce qu'il aimerait avoir comme dessert dominical : crêpes aux pavots, fraises melba, glace à la fraise ou fraises à la crème ? Sur quoi la secrétaire qui préférerait ne pas déranger son patron et prétend d'ailleurs connaître ses goûts, mais qui peut-être aussi veut seulement faire des façons et enquiquiner la cuisinière, lui répond d'une voix pointue que M. Lüding préférerait certainement un pudding nappé de crème au caramel. La cuisinière qui bien entendu connaît aussi les goûts de son maître feint la surprise — la secrétaire ne serait-elle pas en train de confondre ses goûts personnels avec ceux de monsieur ? Elle préfère qu'on le lui passe pour s'entendre directement avec lui sur le choix de son dessert dominical. Sur quoi, la secrétaire qui accompagne parfois M. Lüding en voyage d'affaires et prend alors ses repas avec lui dans quelque palace ou hôtel international, affirme que quand elle déjeune avec lui, son patron choisit toujours comme dessert du pudding nappé de crème au caramel. La cuisinière : mais dimanche M. Lüding ne sera justement pas en voyage avec elle, la secrétaire, et rien ne prouve d'ailleurs qu'il ne choisisse pas son dessert en fonction précisément de la compagnie en laquelle il se trouve. Et patati et patata ! Les crêpes aux pavots font encore l'objet d'une longue discussion... et toute cette conversation est enregistrée sur bande magnétique aux frais du contribuable ! Peut-être le préposé à la table d'écoute qui doit naturellement s'appliquer à déceler s'il n'a pas affaire à des anarchistes employant un langage codé, autrement dit si crêpes aux pavots ne signifieraient pas par hasard grenades à main ou si la glace à la fraise ne serait pas une bombe au plastic, peut-être cet homme-là pense-t-il : ces gens ont vraiment bien des soucis, ou au contraire : si seulement j'avais ce genre de soucis ! (Car il se peut que sa fille vienne de déserter le toit paternel, que son fils fume du haschisch ou que son loyer ait encore augmenté.) Et tout ce bazar — l'enregistrement sur bande magnétique — uniquement parce qu'un jour Lüding a été menacé de plastiquage ! Et c'est ainsi qu'un fonctionnaire ou employé innocent apprend ce que sont les crêpes aux pavots, lui qui se contenterait d'en avoir une seule pour son repas principal.

Il se passe trop de choses sur le devant de la scène sans que nous sachions rien de ce qui se passe en coulisse. Si seulement nous pouvions écouter les bandes magnétiques pour apprendre enfin quelque chose ! Par exemple le degré d'intimité — si intimité il y a — existant entre Mme Else Woltersheim et Konrad Beiters. Quel est en effet le sens du mot ' ami ' employé à propos de leurs relations ? Comment Mme Woltersheim s'adresse-t-elle à Beiters, l'appelle-t-elle mon chéri, mon amour ou simplement Konrad ou Conny ? Quelle sorte de tendresses verbales échangent-ils, si tant est qu'ils en échangent ? Lui dont on sait qu'il possède une belle voix de baryton qui lui permettrait de faire une carrière sinon de soliste du moins de choriste, utilise-t-il le téléphone pour chanter des romances à Else Woltersheim ? Des sérénades ? Des ariettes ? Des airs à la mode ? Ou bien leur conversation téléphonique consiste-t-elle en une évocation plus ou moins obscène de privautés passées ou à venir ? On voudrait bien le savoir, d'autant que la plupart des gens, faute de pouvoir compter avec certitude sur une liaison télépathique, préfèrent user d'un moyen infiniment plus sûr : le téléphone. Les autorités supérieures n'ont-elles pas conscience de ce qu'elles exigent psychiquement de leurs fonctionnaires et employés ? Supposons qu'un homme trivial, momentanément suspect et donc branché sur la table d'écoute, téléphone à sa maîtresse non moins triviale que lui. Comme nous vivons dans un pays libre où chacun peut converser librement et ouvertement, fût-ce au téléphone, il nous est facile d'imaginer tout ce qui peut alors siffler aux oreilles de la personne — peu importe son sexe — peut-être vertueuse ou même puritaine qui enregistre ou écoute la bande magnétique. Est-ce justifiable ? Un traitement psychiatrique est-il ensuite garanti à la victime ? Qu'en pense le syndicat des Postes et Télécommunications ? On s'occupe des industriels, des anarchistes, des directeurs, employés et pilleurs de banque, mais qui se soucie de notre corps national de la bande magnétique ? Les Eglises n'ont-elles rien à dire là-dessus ? La conférence épiscopale de Fulda ou le comité central des catholiques allemands sont-ils désormais incapables de la moindre initiative ? Et pourquoi le pape garde-t-il le silence ? Personne ne se doute-t-il donc de ce que des oreilles innocentes sont contraintes d'entendre, depuis le pudding au caramel jusqu'à la pornographie la plus éhontée ? Nos jeunes gens sont conviés à embrasser la carrière de fonctionnaire... et à qui les livre-t-on ? A des dévoyés du téléphone. Voilà enfin un domaine où Eglises et syndicats pourraient utilement collaborer. On devrait pour le moins prévoir en compensation une sorte de programme éducatif destiné aux préposés à la table d'écoute. Cours d'histoire enregistré sur bande magnétique par exemple. Ça ne coûterait pas bien cher.

42

A peine revient-on, le cœur contrit, sur le devant de la scène pour se remettre à l'inévitable construction du canal que l'on doit déjà donner une nouvelle explication ! Il avait été ici même promis que le sang ne coulerait plus et il importe de souligner qu'avec la mort de Mme Blum, mère de Katharina, cette promesse ne sera pas rompue. En effet, même s'il ne s'agit pas d'un décès tout à fait normal, il ne s'agit pas non plus d'un meurtre. La mort de Mme Blum fut sans doute provoquée par un acte de violence, non intentionnelle pourtant. Car, il importe de le souligner, l'homme qui a provoqué sa mort n'avait nullement l'intention de la tuer, ni même de la blesser. Ce responsable — non seulement on l'a prouvé, mais il l'a lui-même reconnu — n'est autre que le sieur Tötges, journaliste qui pour sa part devait peu après mourir de mort violente, victime d'un meurtre prémédité. Dès le jeudi, Tötges s'était mis en quête de l'adresse de Mme Blum à Gemmelsbroich mais, bien qu'y ayant appris qu'elle se trouvait à l'hôpital de Kuir-Hochsackel, il n'avait pu parvenir jusqu'à elle. En effet, le portier, la sœur Edelgard et le docteur Heinen, médecin-chef de l'établissement, avaient tour à tour attiré son attention sur le fait qu'après une grave intervention chirurgicale d'ailleurs réussie — énucléation d'un cancer — l'état de Mme Blum nécessitait un repos complet ; elle ne pourrait s'en remettre en effet qu'à condition de n'éprouver aucune sorte d'émotion. Toute interview était donc hors de question. Tötges ayant alors allégué qu'en raison des relations de sa fille avec Ludwig Götten, Mme Blum était elle aussi devenue « un personnage de l'actualité », le médecin-chef riposta que pour lui, à l'hôpital, même les personnages de l'actualité étaient d'abord et avant tout des malades. Pendant cet entretien, Tötges avait pu constater que des peintres travaillaient dans l'établissement ; il se vanta d'ailleurs par la suite auprès de plusieurs de ses confrères d'avoir réussi le vendredi matin à s'introduire au chevet de Mme Blum grâce au plus simple de tous les stratagèmes, celui consistant à se faire passer pour un artisan au travail dans les lieux ; il lui avait suffi pour cela de se procurer une blouse blanche, un pot de peinture et une brosse. C'était à ses yeux l'essentiel, car rien ne vaut le témoignage d'une mère, fût-elle malade ! Il l'avait alors mise au courant des faits, sans être d'ailleurs très sûr qu'elle eût bien compris, le nom de Ludwig Götten ne lui disant manifestement rien. Elle avait néanmoins déclaré : « Pourquoi fallait-il que ça en arrive là, pourquoi fallait-il que ça finisse comme ça ? » Ce qui dans LE JOURNAL se mua en : « Ça devait arriver, ça devait finir ainsi ! » Tötges justifia la légère transformation infligée à la déclaration de Mme Blum par le fait qu'en sa qualité de reporter il avait l'art et l'habitude d' « aider les gens simples à s'exprimer ».

43

Il n'a même pas été possible d'établir avec certitude si Tötges avait effectivement réussi à parvenir jusqu'au chevet de Mme Blum ou si toute cette histoire n'était qu'invention destinée à faire passer pour le résultat d'une interview la déclaration de la mère de Katharina citée par LE JOURNAL, ceci tout en se faisant mousser par une telle démonstration de son astuce et de sa valeur professionnelle. Le Dr Heinen, sœur Edelgard, une infirmière espagnole du nom de Huelva et une femme de ménage portugaise du nom de Puelco considèrent tous comme exclu que « ce lascar ait pu avoir l'impudence de s'introduire en fraude chez la malade » (Dr Heinen). Il n'en demeure pas moins certain que cette visite relatée par son auteur, même si elle fut purement imaginaire, a eu une influence décisive sur la suite des événements. Reste évidemment à savoir si le personnel hospitalier préfère nier un fait qui n'aurait jamais dû se produire ou si Tötges pour accréditer l'authenticité de la déclaration de Mme Blum a inventé de toutes pièces sa visite à la malade. Il faut en cette affaire se garder de la moindre iniquité. Il semblerait néanmoins prouvé que Katharina n'ait confectionné son costume de Bédouine pour aller mener une enquête dans le bistrot d'où le malheureux Schönner devait partir « en compagnie d'une quelconque pétasse », qu'*après* avoir pris rendez-vous avec Tötges pour son interview et *après* la publication dans LE JOURNAL DU DIMANCHE d'un nouvel article du même Tötges. Nous devons donc patienter. Il est certain, dûment établi, que le Dr Heinen a été surpris par la mort subite de sa malade et que « sans pouvoir toutefois rien prouver, il n'exclut pas l'existence d'une cause fortuite ». Il ne faut en aucun cas laisser peser le moindre soupçon sur d'innocents peintres en bâtiment, nul n'ayant le droit de salir l'honneur de l'artisanat allemand. Ni sœur Edelgard ni Mmes Huelva et Puelco ne peuvent garantir que les peintres — ils étaient quatre, de l'Entreprise Merkens, de Kuir — étaient tous de vrais peintres ; et comme ils travaillaient chacun de leur côté, personne ne peut réellement savoir si un individu étranger à la profession, mais vêtu d'une blouse blanche et armé d'un pot de peinture et d'une brosse, s'est ou non introduit dans la place. Ce qui est certain en revanche, c'est d'une part que Tötges a *affirmé* (on ne saurait parler d'aveu puisqu'il est impossible de rien prouver) s'être rendu au chevet de Maria Blum pour l'interviewer, et de l'autre que Katharina a eu connaissance de cette affirmation. M. Merkens de son côté a admis qu'en effet, ses quatre peintres n'étant pas toujours à l'hôpital en même temps, *si* un individu avait voulu s'y introduire en fraude, c'eût été pour lui un jeu d'enfant. Le Dr Heinen a manifesté par la suite son intention, d'abord de porter plainte contre LE JOURNAL, pour la façon dont il avait obtenu puis publié la déclaration de la mère de Katharina et ensuite de provoquer un scandale car si cet article disait vrai, c'était tout bonnement monstrueux. Mais il ne mit pas plus sa menace à exécution que Blorna vis-à-vis de Sträubleder celle de lui « casser la gueule ».

44

Le samedi 23 février 1974 vers midi, les Blorna, Mme Woltersheim, Konrad Beiters et Katharina se retrouvèrent enfin à Kuir, au café Kloog (tenu par le neveu de l'aubergiste chez qui, toute jeune femme, Katharina aidait parfois à la cuisine ou au service). Il y eut force embrassades et aussi pleurs versés, même par Mme Blorna. Comme partout ailleurs, une ambiance de carnaval régnait au café Kloog mais Erwin Kloog, son propriétaire qui connaissant bien Katharina, la tutoyait et l'estimait, avait mis à la disposition de ses hôtes sa propre salle de séjour. De là Me Blorna téléphona aussitôt à Hach pour décommander leur rendez-vous de l'après-midi dans le hall du musée. Puis il l'informa de la mort subite de la mère de Katharina, probablement survenue à la suite d'une visite de Werner Tötges, reporter du JOURNAL. Hach se montra plus doux que le matin et pria Blorna de transmettre ses sincères condoléances à Katharina qui certainement ne lui en voulait pas, n'ayant en somme aucune raison pour cela. Il ajouta qu'il se tenait à l'entière disposition de son ami, que pour le moment bien sûr les interrogatoires de Götten occupaient la majeure partie de son temps, mais qu'il se libérerait en cas de besoin ; jusqu'à présent d'ailleurs rien dans les déclarations de l'inculpé ne faisait peser la moindre charge sur Katharina dont il parlait loyalement et avec une grande ferveur. Elle ne devait pourtant pas compter sur l'autorisation de lui rendre visite puisqu'aucun lien de parenté ne les unissait et que par ailleurs le terme de « fiancée » serait certainement considéré comme trop vague pour être pris en considération.

Il semble bien qu'en apprenant le décès de sa mère, Katharina ne se soit pas effondrée et même ait paru plutôt soulagée. Elle soumit naturellement au Dr Heinen le numéro du JOURNAL dans lequel était rapportée l'interview de Tötges et reproduite la déclaration de sa mère. Toutefois, sans s'associer à l'indignation du médecin, elle déclara simplement qu'elle méprisait cette sorte de criminels toujours prêts à détruire une existence, sinon que ces journalistes-là avaient manifestement pour consigne de ruiner la santé, la réputation et l'honneur de gens innocents. Le Dr Heinen, qui la croyait à tort marxiste (probablement avait-il lu lui aussi dans LE JOURNAL les insinuations de Brettloh, l'ex-mari de Katharina), quelque peu effaré par son flegme lui demanda si elle considérait ce procédé du JOURNAL comme un problème de structure. Faute d'avoir compris sa question, Katharina se borna à secouer la tête. Puis, accompagnée de Mme Woltersheim elle se fit conduire par sœur Edelgard à la morgue de l'hôpital. Elle découvrit elle-même le visage de sa mère voilé par le linceul, murmura « oui » et l'embrassa sur le front. Quand sœur Edelgard l'invita à dire une courte prière, elle secoua la tête et répondit « non ». Après avoir recouvert le visage de la morte, elle remercia la religieuse et ne commença à pleurer qu'en quittant la morgue, d'abord doucement, puis plus fort et finalement sans retenue.

Peut-être pensait-elle également à feu son père qu'à l'âge de six ans elle avait aussi vu pour la dernière fois à la morgue d'un hôpital. C'est alors qu'à sa grande surprise, Else Woltersheim découvrit qu'elle n'avait encore jamais vu pleurer sa filleule, pas même lorsque enfant elle était maltraitée à l'école ou qu'elle souffrait de son effroyable ambiance familiale. D'un ton très poli, presque affectueux, Katharina insista pour remercier personnellement les deux étrangères, Mmes Huelva et Puelco, de tout ce qu'elles avaient fait pour sa mère. Puis elle quitta l'hôpital, parfaitement calme et sans avoir oublié de demander à l'administration d'adresser un télégramme à la prison pour que son frère Kurt y soit informé du décès de leur mère.

Ce calme, Katharina le conserva tout l'après-midi et même toute la soirée. Bien qu'elle ne cessât de tirer de son sac les deux numéros du JOURNAL pour en soumettre les moindres détails au jugement des Blorna, d'Else Woltersheim et de Konrad Beiters tout en leur confiant sa propre opinion, son attitude à l'égard du JOURNAL semblait avoir changé. En termes actuels : celle-ci paraissait moins émotionnelle, plus analytique. Dans la salle de séjour d'Erwin Kloog, au milieu de ce petit cercle d'intimes sur l'affection desquels elle savait pouvoir compter, elle évoqua ouvertement aussi ses rapports avec Sträubleder. Un soir, après une réception chez les Blorna, il l'avait ramenée chez elle en voiture puis, malgré son refus énergique et presque écœuré, il l'avait raccompagnée non seulement jusque dans l'immeuble mais même à l'intérieur de son appartement dont il avait coincé la porte du pied pour l'empêcher de la refermer sur lui. Il avait naturellement commencé par essayer de la séduire, puis, sans nul doute offensé de n'être pas trouvé irrésistible, avait fini — à minuit passé — par s'en aller. A dater de là, il n'avait cessé de la poursuivre de ses assiduités, revenant sonner à sa porte, lui envoyant des fleurs et des billets doux. Il avait encore plusieurs fois réussi à forcer sa porte et c'était à l'occasion de l'une de ces visites qu'il l'avait contrainte à accepter la fameuse bague. Et voilà tout. Si, lors de ses interrogatoires, elle avait refusé de révéler le nom du personnage ou d'expliquer la nature de leurs rapports, c'était parce qu'elle estimait ne pouvoir en aucun cas convaincre les représentants de l'autorité de ce qu'il n'y avait rien eu entre eux, jamais rien, pas même l'ombre d'un baiser. Qui donc en effet serait prêt à la croire capable d'avoir résisté à un homme comme Sträubleder, non seulement fortuné mais encore célèbre dans les milieux politiques, économiques et scientifiques pour son charme vainqueur, à un séducteur en somme comparable à un acteur de cinéma ; qui en vérité serait prêt à croire qu'une simple employée de maison comme elle aurait résisté à un acteur de cinéma et de surcroît non pour des raisons de moralité mais simplement de goût ? La vérité n'en restait pas moins que Sträubleder l'avait laissée totalement in- différente et qu'elle considérait comme le plus abominable des actes son intrusion dans sa vie... non pas « intime » certes, car le mot pourrait prêter à confusion alors que jamais précisément la moindre intimité n'avait existé entre eux ; elle lui en voulait donc terriblement de l'avoir ainsi mise dans une situation qu'elle n'aurait pu dévoiler à personne et surtout pas à une équipe de représentants de l'autorité. Mais en fin de compte — et là Katharina ne put s'empêcher de rire — elle lui avait quand même voué une certaine reconnaissance, sa clef ayant représenté pour Ludwig un sérieux atout, ou tout au moins l'adresse de sa maison de campagne car — elle rit de nou- veau — Ludwig aurait certainement réussi à s'y introduire sans clef, quoique celle-ci lui eût bien sûr facilité les choses ; d'autant qu'elle-même, Katharina, savait que la villa resterait inoccupée pendant tout le carnaval puisque deux jours auparavant, après l'avoir une fois de plus importunée voire même harcelée, Sträubleder lui avait proposé d'aller y passer le prochain week-end avec lui ; or devant son refus il avait accepté d'aller participer au congrès de Bad Bedelig... Oui, Ludwig lui avait avoué être recherché par la police mais uniquement parce qu'ayant déserté la Bundeswehr il s'apprêtait à filer à l'étranger. Alors — troisième éclat de rire — elle avait trouvé amusant de l'expédier dans la chaufferie de l'immeuble en lui indiquant comment de là gagner l'égout qui à l'extrémité de « La résidence du bord de l'eau » permettait de revenir à la surface au coin de la Hochkeppelstrasse. Non, elle n'avait pas pensé que la police les surveillait, Götten et elle, mais se serait plutôt crue en train de jouer au gendarme et au voleur. C'était seulement plus tard dans la matinée — Ludwig s'était esquivé dès 6 h du matin — qu'elle avait commencé à comprendre qu'il ne s'agissait aucunement d'un jeu mais d'une affaire rudement sérieuse. Elle avait éprouvé un vif soulagement en apprenant depuis l'arrestation de Götten qui ne pourrait plus désormais faire de bêtises. Jusque-là elle n'avait cessé d'avoir peur, tant le commissaire Beizmenne lui paraissait un inquiétant personnage.

45

Il faut souligner ici avec une insistance toute particulière que l'après-midi et la soirée du samedi se déroulèrent de façon fort agréable, si agréable même que les Blorna, Else Woltersheim et Konrad Beiters — cet homme si étrangement silencieux — se sentirent plutôt rassurés. Pour eux tous et même pour Katharina, la situation semblait s'être enfin détendue. Götten était arrêté et les interrogatoires de Katharina terminés. Quant à l'inhumation de Mme Maria Blum (délivrée — fût-ce prématurément — d'un mal terrible), les formalités étaient déjà engagées et, grâce à la complaisance d'un employé de l'administration de Kuir, les documents requis promis pour le lundi gras bien que ce fût un jour chômé. Un autre réconfort vint d'Erwin Kloog, le propriétaire du café qui après avoir énergiquement refusé tout règlement des consommations (petites saucisses, salade de pommes de terre, gâteau, café et liqueurs) déclara à Katharina au moment où ses hôtes prenaient congé de lui : « Courage, Kathy, nous ne sommes pas tous ici à penser du mal de toi ! » Le réconfort caché sous ces mots était peut-être relatif, car que signifie au juste « pas tous » ? Enfin, c'était tout de même mieux que rien... On convint d'un commun accord d'aller passer le reste de la soirée chez les Blorna. Katharina s'y vit formellement interdire de mettre la main à la pâte : elle était en congé et devait se détendre. Ce fut donc Mme Woltersheim qui alla à la cuisine préparer des sandwiches pendant que Blorna et Beiters s'occupaient ensemble d'allumer un feu de bois dans la cheminée du salon. Pour une fois, Katharina se laissa en effet dorloter. Bientôt l'atmosphère devint si agréable que, n'eussent été le décès de sa mère et l'arrestation de son Ludwig chéri, Katharina n'aurait certainement pas renoncé sur le tard à une petite danse, car enfin le carnaval ne battait-il pas son plein ?

Blorna ne réussit pas à détourner la jeune femme de son projet d'interview avec Tötges. Elle resta calme, très aimable mais inébranlable. Par la suite — c'est-à-dire après que l'interview eut tourné comme l'on sait — Blorna ne put évoquer sans des sueurs froides le sang-froid avec lequel Katharina s'était obstinée dans son idée d'interview ni la fermeté avec laquelle elle avait refusé son assistance. Et pourtant il n'était pas sûr que dès ce soir-là Katharina eût été tout à fait décidée à commettre son meurtre. A son avis, c'était beaucoup plus probablement

LE JOURNAL DU DIMANCHE qui avait fait pencher la balance.

Ils écoutèrent de la musique tantôt sérieuse et tantôt légère, puis Katharina et Else Woltersheim évoquèrent un moment la vie à Kuir et à Gemmelsbroich, si bien qu'ils se séparèrent ensuite en toute quiétude avec de nouvelles embrassades mais sans larmes cette fois. Il n'était que 10 h 30 du soir lorsqu'après les avoir assurés de leur amitié ou de leur sympathie, Katharina, Mme Woltersheim et Beiters prirent congé des Blorna, lesquels se félicitèrent d'avoir quand même réussi à rentrer à temps... à temps pour Katharina. Au coin du feu qui lentement s'éteignait et devant une bouteille de vin, les Blorna firent de nouveaux projets de vacances puis cherchèrent à analyser le caractère de Sträubleder et de Maud, son épouse. Quand Blorna pria Trude de s'abstenir, lors des prochaines rencontres, d'utiliser ce mot de « visiteur » auquel Sträubleder était manifestement devenu allergique, elle lui répondit : « Celui-là ? Nous ne sommes pas près de le revoir ! »

46

Il est prouvé que Katharina passa calmement chez sa marraine le reste de la soirée. Elle essaya une nouvelle fois son costume de Bédouine, en renforça quelques coutures et décida en guise de voile d'utiliser un mouchoir blanc. Elle écouta la radio un moment encore, mangea un peu de pâtisserie en compagnie de Mme Woltersheim et de Konrad Beiters, puis tous trois allèrent se coucher. Alors pour la première fois Beiters suivit ouvertement Mme Woltersheim dans sa chambre à coucher tandis que Katharina s'installait confortablement sur le divan de la salle de séjour.

47

Le dimanche matin en se levant, Else Woltersheim et Konrad Beiters trouvèrent le couvert du petit déjeuner mis de la façon la plus accueillante et leur café bien au chaud dans la cafetière thermos. Assise à la table, Katharina déjeunait déjà de fort bon appétit tout en lisant LE JOURNAL DU DIMANCHE. Ici le chroniqueur ne va plus guère rendre compte des textes mais les citer. Certes l'histoire de Katharina ne figurait plus en première page avec photo à l'appui. C'était cette fois Ludwig Götten qui avait droit aux honneurs de la " une " sous le titre : « L'amant de Katharina Blum arrêté dans la villa d'un industriel. » L'article concernant la jeune femme, plus étoffé que ceux des précédents numéros, s'étalait sur les pages 7, 8 et 9 accompagné de nombreuses photographies : Katharina en première communiante, son père sous l'uniforme au retour de la guerre, l'église de Gemmelsbroich et une fois encore la villa des Blorna. Puis la mère de Katharina, la quarantaine, l'air d'une femme rongée par le chagrin et presque déchue, prise devant la minuscule maison de Gemmelsbroich où la famille avait vécu. Enfin une photo de l'hôpital où Maria Blum était décédée dans la nuit du vendredi au samedi. Voici donc l'essentiel de l'article :

La première victime tangible de l'impénétrable Katharina Blum, toujours en liberté, se trouve être sa propre mère qui n'a pas survécu au choc des révélations sur les activités de sa fille. S'il paraît déjà assez étrange que pendant que sa mère se mourait, celle-ci n'ait rien trouvé de mieux à faire que de danser tendrement avec un criminel, que dire du fait qu'à l'annonce de son décès elle n'ait pas versé une larme sinon que cela frise la plus extrême perversité ? Cette femme

*n'est-elle donc réellement que « froide et calculatrice » ?
L'épouse d'un de ses anciens employeurs, médecin de campagne fort estimé, la décrit comme suit : « Elle avait vraiment des façons de catin. J'ai dû la renvoyer à cause de mes grands fils, de nos malades et aussi du crédit de mon mari. » Katharina B. aurait-elle par hasard participé aux malversations de M. Fehnern, le commissaire aux comptes de sinistre réputation ? (Une affaire dont LE JOURNAL a rendu compte en son temps.) Son père cachait-il son jeu ? Et pourquoi son frère a-t-il sombré dans la délinquance ? Quoi qu'il en soit, on n'a toujours pas réussi à expliquer la rapide ascension de la jeune femme ni l'importance de ses revenus. Mais ce qui est désormais absolument certain, c'est que Katharina Blum a favorisé la fuite de ce Götten aux mains sanglantes ; sans vergogne elle a abusé de l'amicale confiance et de l'instinctive serviabilité d'un industriel et homme de science jouissant d'une grande considération. LE JOURNAL possède à présent des informations qui apportent la preuve quasi formelle que loin de le recevoir chez elle, c'était elle qui sans y avoir été invitée allait lui rendre visite dans sa villa à seule fin d'explorer les lieux. Ainsi les mystérieuses randonnées en voiture de Katharina Blum ont-elles désormais perdu de leur mystère. Indifférente aux sentiments d'une épouse loyale et de ses quatre enfants, elle a sans le moindre scrupule compromis la réputation d'un homme honorable, le bonheur de sa famille et sa carrière politique (dont LE JOURNAL a déjà eu maintes fois l'occasion de parler). De toute évidence, et pour le compte d'un groupe gauchiste, Katharina Blum devait s'efforcer de ruiner la carrière de monsieur S.*

La police et le ministère public sont-ils vraiment disposés à croire un aussi ignominieux individu que ce Götten lorsqu'il a la prétention de disculper entièrement Katharina Blum ? LE

JOURNAL se doit de soulever une fois encore la question : nos méthodes d'interrogatoire ne sont-elles pas trop douces ? Sommes-nous donc tenus à tant d'humanité à l'égard de tels monstres ?

Sous les photographies des Blorna et de leur villa :

C'est dans cette maison que Katharina Blum, qui jouissait de l'entière confiance de Mᵉ Blorna et de son épouse, travaillait seule, sans surveillance aucune, de 7 h du matin à 4 h 30 de l'après-midi. On n'ose imaginer tout ce qui a bien pu s'y passer pendant que les Blorna vaquaient sans méfiance à leurs occupations professionnelles. Mais ne se doutaient-ils vraiment de rien ? Au dire des voisins, ils entretenaient avec Katharina Blum des rapports très amicaux sinon même intimes. Nous passerons ici sur certaines insinuations étrangères à l'affaire. Mais lui sont-elles vraiment étrangères ? Quel fut en effet le rôle joué par Mme Gertrud Blorna qui dans les annales d'une école technique supérieure fort estimée figure aujourd'hui encore sous le nom de « Trude la Rouge » ? Comment Götten a-t-il pu s'enfuir de chez Katharina Blum alors qu'il avait la police à ses trousses ? Et qui connaissait jusque dans ses moindres détails le plan du grand ensemble « La résidence du bord de l'eau », sinon Mme Blorna ?

Hertha Sch. et Claudia St., respectivement vendeuse et ouvrière, ont d'un commun accord déclaré au JOURNAL : « Ah ! ces deux-là (il s'agit de Katharina Blum et du bandit Ludwig Götten)... ils ont dansé ensemble comme s'ils se connaissaient depuis toujours. Ce n'était pas une rencontre de hasard, c'étaient des retrouvailles ! »

48

Plus tard, quant à l'intérieur de son service Beizmenne s'entendit reprocher de n'avoir pendant près de quarante-huit heures rien entrepris contre Götten dont il savait pourtant depuis le jeudi soir à 23 h 30 qu'il se cachait dans la villa de Sträubleder, prenant ainsi le risque de le voir s'échapper une seconde fois, il répondit en riant que dès le jeudi à minuit Götten n'avait plus eu la moindre chance de s'enfuir. Bien que située certes en pleine forêt, la villa occupait tout de même une position idéale parce que entourée d'éminences comme d'autant de tours de guet ; et d'ailleurs le ministre de l'Intérieur, parfaitement informé, avait approuvé toutes les mesures envisagées : un commando immédiatement transporté sur les lieux par hélicoptère, lequel bien sûr avait atterri à une distance suffisante pour ne pas être entendu de la villa, les hommes étant ensuite répartis sur les diverses éminences tandis que dès le lendemain matin les services de police locaux déjà sur place étaient discrètement renforcés par deux douzaines d'agents supplémentaires. L'essentiel consistait alors à observer les tentatives de Götten pour établir des contacts et le succès de l'opération avait justifié le risque encouru puisque en effet il s'en était produit cinq. Il avait d'abord fallu dépister et appréhender ces cinq personnages puis perquisitionner chez eux avant d'arrêter Götten. Contre lui-même l'opération n'avait été déclenchée par le commando qu'une fois les prises de contact terminées. Götten, outrecuidance ou légèreté, s'était jusque-là senti en si parfaite sécurité que de l'extérieur toutes ses allées et venues dans la villa avaient pu être observées.

Beizmenne avoua d'autre part avoir été redevable d'un certain nombre de détails importants envers les reporters du JOUR-

NAL, la maison d'édition qui en dépend et les différents organes à elle apparentés. Tous ces gens-là obtenaient par des procédés évidemment assez fantaisistes et parfois même assez peu orthodoxes certaines informations qui échappaient en revanche aux enquêteurs officiels. Ainsi par exemple était-il apparu que le passé de Mme Woltersheim n'était guère plus vierge que celui de Mme Blorna. Née à Kuir en 1930, Else Woltersheim était fille naturelle d'une ouvrière, laquelle vivait encore. Mais où ? En RDA et ce nullement par contrainte mais au contraire de son plein gré; à plusieurs reprises en effet, d'abord en 1945, puis en 1952 et enfin en 1961 peu avant l'édification du mur, on lui avait offert de revenir à Kuir, son pays natal où elle possédait une petite maison et un arpent de terre. Mais elle l'avait toujours refusé et chaque fois catégoriquement. Quant au père d'Else Woltersheim, un certain Lumm, il offrait plus encore d'intérêt : ouvrier lui aussi et membre en son temps du parti communiste, il avait en 1932 émigré en Union soviétique où l'on perdait totalement sa trace. Beizmenne pour sa part pensait que cette sorte de disparus ne figuraient évidemment pas sur les mêmes listes que ceux de la Wehrmacht.

49

Comme il est à craindre que certaines allusions plutôt précises aux tenants et aboutissants de l'affaire ne soient considérées comme de simples insinuations et de ce fait négligées ou mal comprises, une remarque s'impose : LE JOURNAL, qui par l'entremise de son reporter Werner Tötges avait provoqué la mort assurément prématurée de Mme Maria Blum, a dans son édition du dimanche bel et bien rendu Katharina responsable de ce décès, comme il l'a aussi plus ou moins accusée — cas type d'insinuation — d'avoir volé la clef de la résidence secondaire de Sträubleder. Voilà qui méritait d'être souligné, car on n'est jamais trop prudent. Rien ne prouve non plus que chacun ait pris pleinement conscience de toutes les contre-vérités, falsifications et diffamations imaginées par LE JOURNAL.

Que M⁰ Blorna serve ici d'exemple pour montrer *comment* LE JOURNAL a pu faire sortir de leurs gonds des personnes à l'esprit plutôt équilibré. Dans la banlieue résidentielle où vivaient les Blorna, LE JOURNAL DU DIMANCHE ne se vendait pas : on y lisait des proses plus relevées. Voilà pourquoi M⁰ Blorna qui, croyant l'affaire enfin terminée, attendait seulement avec un peu d'inquiétude l'entretien de Katharina avec Werner Tötges ne fut informé qu'à midi, en téléphonant à Mme Woltersheim, de l'article paru dans LE JOURNAL DU DIMANCHE. Or celle-ci était de son côté persuadée que Blorna avait déjà lu l'article incriminé. Tout le monde aura compris, espérons-le du moins, que l'avocat était non seulement un homme affectueux et sincèrement soucieux du sort de Katharina, mais aussi un esprit pondéré. Quand Mme Woltersheim lui lut au téléphone les passages précédemment cités du JOURNAL DU DIMANCHE, il n'en crut pas ses oreilles, mais après se les être fait relire il fut bien obligé d'y croire et du coup entra dans une violente colère. Jurant et tempêtant, il se précipita dans la cuisine à la recherche d'une bouteille vide et l'ayant trouvée, l'emporta en courant jusqu'au garage où par bonheur sa femme put l'empêcher à temps de confectionner le cocktail Molotov qu'il voulait lancer dans la rédaction du JOURNAL en attendant d'en balancer un deuxième dans la résidence principale de Sträubleder. Qu'on se représente bien la situation : voici un homme de quarante-deux ans instruit et cultivé qui depuis sept ans jouit de l'estime de Lüding et du respect de Sträubleder pour la précision et la pondération avec lesquelles il sait mener les négociations en tous lieux, aussi bien au Brésil qu'en Arabie saoudite ou en Irlande du Nord, autrement dit un homme n'ayant rien, bien au contraire, d'un petit provincial étriqué... et voilà cet homme-là en passe de confectionner des cocktails Molotov !

Sans la moindre hésitation, Mme Blorna qualifia la réaction de son mari de forme spontanée d'anarchisme romantico-petit-bourgeois, assimilée par elle à une maladie ou à une quelconque lésion. Puis elle regagna l'intérieur de la maison et se dirigea droit sur le téléphone pour appeler Mme Woltersheim et se faire lire aussi les passages en question. Or, il faut bien le constater, elle blêmit — même elle ! — avant de raccrocher. Trude fit ensuite quelque chose de pire peut-être que de lancer un cocktail Molotov : elle décrocha de nouveau le téléphone, appela Lüding (qui se penchait précisément alors sur ses fraises melba) et lui lança seulement : « Espèce d'ordure, espèce d'immonde salaud ! » Elle ne se nomma pas, mais on est en droit de supposer que tous les amis de Me Blorna connaissaient la voix de sa femme et sa fâcheuse habitude de lâcher des appréciations aussi pertinentes que cinglantes. Son mari, croyant qu'elle s'était adressée à Sträubleder, l'accusa une deuxième fois d'avoir dépassé les bornes. Bref, toute cette histoire provoqua pas mal de grabuge, telles les disputes des Blorna entre eux et avec d'autres aussi, mais comme ces diverses querelles n'ont par entraîné de mort d'homme, qu'il nous soit permis de ne pas nous y arrêter. Car même si elles sont le fruit d'intentions bien arrêtées, ces conséquences furent sans importance en soi et ne sont ici mentionnées que pour souligner à quel degré LE JOURNAL était capable de soulever l'indignation, jusqu'à pousser des gens éduqués d'excellente réputation à envisager de commettre des actes de violence franchement indignes d'eux.

Il est prouvé qu'au même moment — c'est-à-dire vers midi — Katharina après avoir passé incognito une heure et demie au « Canard Doré », bistrot des journalistes, sans doute en vue d'y recueillir des informations sur Werner Tötges, était rentrée chez elle pour y attendre le reporter, lequel arriva environ un quart d'heure plus tard. Plus n'est besoin de rien dire sur « l'interview » : on sait quel en fut le dénouement. (Voir page 9.)

50

Pour vérifier ce qu'il y avait de vrai dans la surprenante déclaration du curé de Gemmelsbroich — surprenante pour *tous* les intéressés — et selon laquelle le père de Katharina aurait été un communiste inavoué, Blorna alla passer une journée dans sa paroisse. Le curé confirma son propos dont il reconnut que LE JOURNAL l'avait bien textuellement cité, ajoutant qu'il ne pouvait fournir aucune preuve susceptible d'étayer sa déclaration et s'y refusait d'ailleurs ; il prétendit même n'en avoir nul besoin, tant il pouvait se fier entièrement à son flair dont la finesse lui avait justement permis de déceler en Blum le communiste. Il refusa aussi de caractériser son flair et ne se montra guère plus coopératif quand à défaut de cela Blorna le pria de bien vouloir au moins lui expliquer la nature du fumet dégagé par un communiste. Du coup le curé — il faut hélas l'avouer — négligeant les règles élémentaires de la courtoisie demanda abruptement à Blorna s'il était catholique et, sur la réponse affirmative de celui-ci, lui rappela sans aménité son devoir de soumission, plongeant alors son interlocuteur dans un abîme de perplexité. A partir de là, Blorna se heurta comme prévu à de nombreuses difficultés dans son enquête sur les Blum envers lesquels personne ne semblait avoir éprouvé de sympathie particulière. Il entendit dire beaucoup de mal de feu la mère de Katharina qui un jour dans la sacristie avait effectivement fini *une* bouteille de vin de messe en compagnie du bedeau, depuis lors congédié. Il entendit dire beaucoup de mal du frère de Katharina, considéré comme un véritable fléau. Mais la seule citation à l'appui de l'accusation de communisme lancée contre le père de Katharina était une déclaration que celui-ci aurait faite en 1949 à un paysan du nom de Scheumel dans l'un des sept cafés du village, à savoir : « Le socialisme n'est certainement pas ce qu'il y a de pire. » Impossible d'en obtenir davantage. Une fois ses vaines recherches terminées, tout ce que Blorna récolta fut d'être à son tour non point injurieusement traité de communiste mais néanmoins considéré comme tel, entre autres — surprise particulièrement pénible — par une personne qui lui avait d'abord apporté une certaine aide et témoigné même une certaine sympathie. Cette Elma Zubinger, institutrice retraitée, lorsqu'il prit congé d'elle, lui adressa un sourire narquois accompagné d'un clin d'œil avant de lui dire : « Pourquoi ne pas avouer que vous êtes des leurs ? Et votre femme plus encore ! »

51

Il n'est malheureusement pas possible de passer sous silence tel ou tel acte de violence accompli pendant que Mᵉ Blorna se préparait à assurer la défense de Katharina.

Ce qu'il faut tout d'abord préciser, c'est que l'avocat commit une faute capitale, primo en acceptant à la demande de Katharina d'assurer conjointement la défense de Ludwig Götten et la sienne, secundo en s'efforçant sans cesse de leur obtenir l'autorisation de se rencontrer sous le prétexte qu'ils étaient fiancés puisque s'étant promis l'un à l'autre au cours de la soirée et de la nuit de ce fameux 20 février, etc. On imaginera aisément tout ce que LE JOURNAL a bien pu écrire sur Blorna, sa femme, Götten et Katharina. Nous n'allons ni le rapporter ni même l'évoquer ici. Un changement, un abaissement de niveau ne doit intervenir que s'il est indispensable, ce qui n'est pas ici le cas puisque le lecteur est désormais très au courant des procédés du JOURNAL. Il fit ainsi courir le bruit que Blorna voulait divorcer, nouvelle sans fondement aucun mais qui n'en sema pas moins une certaine défiance entre les époux. Il affirma aussi que ses finances allaient mal, ce qui était malheureusement vrai. Il avait en effet outrepassé ses possibilités en acceptant la charge de syndic responsable du sort de l'appartement de Katharina, lequel était devenu quasiment invendable et tout aussi difficile à louer parce que réputé « taché de sang ». Son prix en tout cas s'effondrait tandis que les intérêts, remboursements et autres que Blorna devait régler restaient toujours aussi élevés. On pouvait même craindre à certains indices que la « Haftex » qui avait financé la construction du complexe immobilier « La résidence du bord de l'eau », ne réclamât à Katharina des dommages-intérêts sous prétexte qu'ayant nui au standing dudit complexe elle en avait abaissé la valeur locative et commerciale. Comme on le voit, des ennuis, beaucoup d'ennuis. Une tentative du bureau d'architecte qui employait Mme Blorna tendant à la licencier pour abus de confiance — communication à Katharina des plans de l'infrastructure du grand ensemble — fut certes repoussée en première instance, mais nul ne sait comment tranchera la seconde ou la troisième instance. Autre chose encore : les Blorna ont dû se défaire de leur deuxième voiture et LE JOURNAL a fait paraître récemment une photo

112

de leur élégante berline avec la légende : « Quand l'avocat rouge devra-t-il se contenter d'une voiture populaire ? »

52

Il est bien évident que les rapports entre Blorna et la « Lüstra » (Lüding & Sträubleder Investment) ont été sinon rompus, du moins sérieusement altérés. Ils ne portent plus guère que sur la liquidation des affaires en cours. Cependant, Sträubleder a récemment déclaré par téléphone à Blorna : « nous ne vous laisserons pas mourir de faim », ce « vous » laissant donc supposer, à la grande surprise de Blorna, que Trude ne serait pas plus épargnée que lui. Sans doute Blorna travaille-t-il encore quelque peu pour la « Lüstra » et la « Haftex », non plus à l'échelon international ni même national, mais seulement à l'échelon parfois régional et le plus souvent local, ce qui signifie qu'il en est réduit à se battre contre de minables plaideurs en rupture perpétuelle de contrat, qui par exemple vont en justice demander le remboursement de la différence de prix entre les revêtements de marbre prévus et le travertin effectivement utilisé ; ou encore contre des types auxquels on avait promis trois couches de laque sur la porte de leur salle de bains et qui s'amusent à en gratter la peinture au couteau pour faire ensuite constater par un expert la présence de deux couches seulement ; robinets de baignoire qui gouttent, vide-ordures défectueux et autres sont les motifs généralement invoqués pour ne pas effectuer les versements convenus par contrat. Telles sont donc les affaires désormais confiées à Blorna alors qu'auparavant il voyageait de par le monde, s'envolant un jour pour Buenos Aires et un autre pour Persépolis en vue d'y participer à l'élaboration d'importants projets. Dans l'armée, cela s'appelle une dégradation avec tout ce qu'elle comporte d'humiliation. Conséquence : pas encore d'ulcère de l'estomac, mais des aigreurs de plus en plus prononcées. Blorna a commis une lourde gaffe le jour où il a entrepris des recherches personnelles à Kohlforstenheim pour essayer de savoir par le chef de la police locale si, lors de l'arrestation de Götten, la clef de la villa se trouvait sur la porte (à l'intérieur ou à l'extérieur) ou si l'on avait au contraire relevé des indices tendant à prouver une pénétration par effraction. Que signifie une telle démarche alors que l'enquête est close ? Elle n'a aucune chance — et cela vaut d'être souligné — de guérir un ulcère de l'estomac, même si Hermann, chef de la police locale, s'est montré très aimable envers Blorna, sans aucunement le soupçonner de communisme ; il lui a néanmoins vivement conseillé de ne pas fourrer son nez dans cette affaire.

Blorna a pourtant une consolation : sa femme est de plus en plus gentille avec lui ; elle reste toujours aussi mordante vis-à-vis des autres, ou du moins de beaucoup d'autres, mais pas avec lui. Le projet qu'elle forme de vendre la villa et de racheter l'appartement de Katharina pour s'y installer n'a jusqu'ici échoué qu'en raison de la taille de l'appartement, c'est-à-dire de son exiguïté car Blorna projette d'abandonner son bureau en ville pour mener ses affaires à domicile. Lui, l'homme généreux et amateur de plaisirs, le confrère aux réceptions si courues dont on appréciait la joie de vivre, le voilà qui commence à manifester un certain ascétisme et à négliger sa mise à laquelle il attachait pourtant une telle importance ; or comme il la néglige *réellement* et non pour suivre la mode, maints confrères vont jusqu'à affirmer que faute de s'astreindre encore à un minimum de soins corporels, il commence à sentir mauvais. Aussi ne peut-on guère espérer le voir entamer une nouvelle carrière, car il est bien vrai — rien, absolument rien ne doit être caché au lecteur — que l'odeur de son corps n'est plus ce qu'elle fut, celle d'un homme qui le matin après s'être précipité avec entrain sous la douche utilisait force savon, déodorant et eau de toilette. Bref, un considérable changement s'opère en lui. Ses amis — il lui en reste encore quelques-uns, dont Peter Hach avec lequel il entretient d'ailleurs des rapports professionnels liés aux affaires Ludwig Götten et Katharina Blum — sont inquiets, d'autant que loin de laisser exploser sa colère, contre LE JOURNAL par exemple qui ne cesse par de brefs articles de se rappeler à son bon souvenir, il s'applique au contraire à la ravaler. L'inquiétude de ses amis va même si loin qu'ils ont instamment prié Trude de s'assurer discrètement que son mari ne se procurerait pas d'arme ni ne fabriquait d'explosifs, car en la personne d'Eginhard Templer feu Tötges a trouvé un successeur digne de lui. Ce Templer a réussi à photographier Blorna au moment où il entrait chez un prêteur sur gages puis, grâce à un nouveau cliché pris à travers la vitre, à donner aux lecteurs du JOURNAL un aperçu sur les tractations entre l'avocat et le prêteur : la photo montrait en effet Blorna discutant de la valeur d'une bague que le prêteur examinait à la loupe. Légende : « Les sources rouges sont-elles vraiment taries ou bien est-ce là seulement simulation du dénuement ? »

53

Le plus grand souci de Blorna est de convaincre Katharina de déclarer devant le tribunal qu'elle a pris le dimanche matin seulement la décision de se venger de Tötges, et ce sans avoir un instant songé à le tuer, tout juste à l'effrayer. Sans doute dès le samedi, en invitant Tötges à venir l'interviewer, avait-elle eu l'intention de lui dire carrément ce qu'elle avait sur le cœur et donc de lui reprocher violemment d'avoir ravagé sa vie et détruit celle de sa mère, mais à aucun moment, pas même le dimanche, pas même après avoir lu son article dans LE JOURNAL DU DIMANCHE, elle n'avait songé à le tuer. Il fallait à tout prix éviter de donner l'impression qu'elle avait préparé son meurtre de longue haleine afin de le perpétrer suivant un plan bien établi. Quand elle lui affirme avoir eu des envies de meurtre dès la lecture du premier article de Tötges, c'est-à-dire dès le jeudi, Blorna s'efforce d'expliquer à Katharina que bien des gens dont lui-même ont parfois des envies de meurtre, mais qu'il faut faire le départ entre « envies » et « projet » de meurtre. Ce qui l'inquiète en outre, c'est que faute d'éprouver le moindre remords, Katharina sera incapable d'en manifester devant le tribunal. Nullement déprimée, elle est même heureuse à sa façon en raison de ce qu'elle vit « dans les mêmes conditions que mon Ludwig chéri ». Elle passe pour une prisonnière modèle et travaille aux cuisines ; mais si l'ouverture des débats tarde encore, elle sera transférée à l'économat de la prison où elle serait attendue sans le moindre enthousiasme, chacun craignant — dans l'administration comme chez les détenus — la réputation de rigueur qui la précède. Tant et si bien que la rumeur selon laquelle Katharina pourrait être employée à l'économat pour toute la durée de sa peine (on pense que le ministère public requerra quinze ans et qu'elle en écopera de huit à dix) se propage à travers tous les établissements de détention comme une très funeste nouvelle. On le voit, la probité alliée au sens de l'organisation n'est nulle part souhaitée, pas même dans les prisons, ni même par l'administration.

54

Ainsi que Hach en a confidentiellement informé Blorna, l'accusation de meurtre ne pourra vraisemblablement pas être retenue contre Götten qui s'en trouve donc lavé. Il semble en revanche prouvé que le prévenu ait non seulement déserté la Bundeswehr mais qu'il ait aussi considérablement lésé cette sainte institution sur le plan aussi bien matériel que moral. Il ne s'agit donc pas d'un cambriolage de banque, mais du pillage intégral d'un coffre-fort renfermant la solde de deux régiments ainsi que d'importantes réserves de liquidités. Autres chefs d'accusation : falsification de documents comptables et vol d'armes. Il écopera donc probablement lui aussi de huit à dix ans de prison. A sa libération il aura donc trente-quatre ans environ et Katharina trente-cinq. Celle-ci fait pour sa part des projets d'avenir : elle estime que d'ici sa libération son capital aura suffisamment fructifié pour lui permettre d'ouvrir alors « n'importe où, sauf ici bien entendu » un restaurant faisant aussi traiteur. C'est à l'échelon non pas supérieur mais suprême que va sans doute être décidé si elle peut ou non être considérée comme la fiancée de Götten. Une requête en ce sens a déjà été rédigée, qui a entamé sa longue marche à travers les instances concernées. Au demeurant, les contacts téléphoniques établis par Götten depuis la villa de Sträubleder s'adressaient exclusivement à des membres de la Bundeswehr ou à leurs épouses, entre autres certains officiers et femmes d'officiers. On s'attend là à un scandale de moyenne importance.

55

Tandis que Katharina, sans presque plus subir d'attaques et sans guère souffrir de sa privation de liberté, envisage l'avenir avec confiance, Else Woltersheim s'est engagée sur la voie d'une amertume toujours croissante. Les attaques diffamatoires lancées contre sa mère et contre feu son père, pourtant considéré comme une victime du stalinisme, l'ont profondément affectée. On constate chez elle une hostilité grandissante envers la société, hostilité que Konrad Beiters lui-même ne parvient pas à modérer. Else Woltersheim s'étant de plus en plus spécialisée dans l'organisation, la confection et la supervision du service des buffets froids, son agressivité se concentre chaque jour davantage sur la foule des invités, qu'il s'agisse de journalistes autochtones ou étrangers, d'industriels, de syndicalistes, de banquiers ou de cadres supérieurs. « Je dois parfois, a-t-elle récemment déclaré à Blorna, user de toutes mes forces pour me retenir de renverser un légumier de salade de pommes de terre sur le frac d'un de ces minables ou un plat de petites tranches de saumon dans le décolleté d'une de ces affreuses bonnes femmes pour qu'ils apprennent tous enfin ce que c'est que d'avoir la chair de poule. Tâchez de vous représenter les choses de notre point de vue : tous ces gens qui, la bouche ou plutôt la gueule grande ouverte, commencent naturellement par se précipiter sur les sandwiches au caviar... et puis ces messieurs-dames dont je sais qu'ils sont millionnaires ou femmes de millionnaires et qui se fourrent des cigarettes, des allumettes et des petits fours dans les poches. Bientôt, pour emporter du café, ils amèneront des sachets de plastique ! Or tout cela, d'une façon ou d'une autre, ce sont nos impôts qui le payent ! Il y en a même parmi eux qui se passent de petit déjeuner ou de déjeuner pour mieux pouvoir se ruer ensuite sur le buffet comme des vautours... soit dit naturellement sans vouloir offenser les vautours. »

56

Au nombre des actes de violence dont il a été dit précédemment qu'il n'était pas possible de les passer tous sous silence, il en est un qui malheureusement a suscité dans le public un intérêt assez considérable. A l'occasion du vernissage d'une exposition du peintre Frederick Le Boche, Blorna qui passe pour le mécène de cet artiste se retrouva pour la première fois depuis les événements en présence de Sträubleder. Visiblement ravi, Sträubleder s'avança vers lui la main tendue, mais comme Blorna refusait de la prendre, il s'empara d'autorité de la sienne en murmurant : « Allons, il n'y a vraiment pas de quoi dramatiser, tu sais bien que nous ne vous laisserons jamais tomber... tandis que c'est malheureusement toi qui te laisses couler ! » Eh bien oui, l'honnêteté nous oblige hélas à le consigner : c'est alors que Blorna a pour de bon flanqué son poing sur la gueule de Sträubleder. Disons-le vite pour l'oublier tout aussi vite : le sang coula... du nez de Sträubleder. Selon certaines estimations, quatre à sept gouttes. Mais il y eut pire. Après avoir reculé sous le choc, Sträubleder crut devoir déclarer à Blorna : « Je te pardonne, vu ton état émotionnel je te pardonne tout... » Cette remarque ayant visiblement attisé au-delà de toute expression la colère de Blorna, à en croire certains témoins oculaires la dispute dégénéra en un véritable corps à corps. Et comme il est de mise lorsque des Sträubleder et autres Blorna apparaissent en public, le photographe du JOURNAL, un certain Kottensehl successeur de feu Schönner, était de la fête, et peut-être ne peut-on en vouloir au JOURNAL

— puisqu'on connaît désormais son comportement — d'avoir publié une photo de ce corps à corps avec pour légende : « Politicien conservateur agressé par un avocat de gauche. » Ceci le lendemain matin seulement, bien entendu.

Une autre rencontre eut lieu au cours de ce vernissage, celle de Maud Sträubleder et de Trude Blorna. La première dit à la seconde : « Ma chère Trude, sois assurée de toute ma compassion. » A quoi la seconde répondit à la première : « Dépêche-toi d'envoyer ta compassion rejoindre au frigidaire le reste de tes sentiments. » Et lorsque Maud Sträubleder crut devoir lui offrir aussi son pardon, sa clémence, sa compassion, sinon même son affection en lui déclarant : « Rien, absolument rien, pas même ton ironie corrosive ne pourra entamer ma sympathie pour toi », Trude Blorna lui répondit en des termes impossibles à rapporter ici. Tout ce que l'on peut dire, c'est qu'elle usa d'un langage moins que châtié pour faire allusion aux nombreuses tentatives d'approche de Sträubleder envers certaine jeune femme et pour évoquer entre autres — violant ainsi le secret professionnel auquel la femme d'un avocat est également tenue — l'affaire de la bague, des lettres et de la clef que « ton soupirant de mari, éternellement éconduit, a laissées dans un certain appartement ». C'est alors que ces dames furent séparées par Frederick Le Boche qui avait déjà eu la présence d'esprit de recueillir sur un buvard le sang de Sträubleder pour composer — selon ses propres termes — une « one minute piece of art » qu'il intitula « Fin d'une longue amitié masculine » et qu'il signa avant de l'offrir, non à Sträubleder mais à Blorna en disant : « Tu n'auras qu'à le bazarder pour regarnir un peu ton escarcelle. » Cet événement, tout comme les actes de violence plus haut décrits, tend nettement à prouver la pérennité de la fonction sociale de l'art.

57

Il est évidemment très fâcheux, alors que ce récit touche à sa fin, de devoir y faire état d'une telle absence d'harmonie sans guère de raisons de laisser entrevoir la moindre amélioration. Les événements ont conduit non à une entente mais à une confrontation. Et l'on est alors amené à se poser cette question : pourquoi et comment ? Voici donc une jeune femme qui, d'excellente humeur et presque joyeuse, va un beau soir participer à une inoffensive sauterie organisée par sa marraine et qui quatre jours plus tard — notre rôle ici n'étant pas de juger mais seulement d'informer, nous nous en tiendrons donc à la stricte relation des faits — commet un meurtre et ce, à y regarder de près, uniquement à cause de certains articles de journaux. Il en découle des tensions, des mouvements de colère et finalement un corps à corps entre deux hommes qu'unissait pourtant une longue amitié. Et puis aussi une sérieuse prise de bec entre leurs épouses respectives : compassion refusée, affection refusée. Tous développements fort peu réjouissants. Voilà un homme enjoué, extrêmement sociable, aimant la vie, les voyages et le luxe et qui en vient à se négliger au point de dégager une bien peu agréable odeur. Certains vont même jusqu'à prétendre qu'il a mauvaise haleine. Il met en vente sa villa et doit recourir à un prêteur sur gages. Sa femme cherche un autre emploi, tant elle est sûre de perdre le sien en appel ; elle serait même prête, cette femme si douée, oui prête à reprendre son ancienne place de vendeuse avec le titre de « conseillère pour l'architecture intérieure » chez un grand marchand de meubles ; mais celui-ci lui fait savoir que « les milieux dans lesquels nous recrutons notre clientèle sont précisément ceux, chère madame, avec lesquels vous vous êtes brouillée ». Bref, les choses se présentent mal. Le procureur Hach a déjà chuchoté à l'oreille de quelques amis ce qu'il n'a pas encore osé dire à Blorna : le droit lui sera peut-être refusé d'assurer la défense des accusés en raison de son implication dans certains éléments de l'affaire. Comment tout cela va-t-il se terminer ? Que va-t-il advenir de Blorna s'il ne peut plus rendre visite à Katharina, s'il ne peut plus — impossible de le cacher plus longtemps ! — lui tenir la main ? Il l'aime, la chose est sûre, alors qu'elle ne l'aime pas, et il ne peut plus caresser le moindre espoir depuis qu'elle s'est tout entière donnée à son « Ludwig chéri » ! Il nous faut d'ailleurs ajouter que ce jeu de mains est un acte strictement unilatéral consistant uniquement en ceci que, quand Blorna passe des notes ou des documents à Katharina, il pose ses mains sur celles de la jeune femme plus longtemps — peut-être trois, quatre, ou cinq dixièmes de seconde de plus — que ne le veut l'usage. Diable ! comment serait-il possible d'introduire ici la moindre harmonie alors que son violent penchant pour Katharina n'incite même pas Blorna... eh bien disons : à se laver un peu plus souvent ? Il ne trouve même pas de consolation dans le fait d'être le seul, oui le seul, à avoir découvert l'origine de l'arme du crime, alors que ni Beizmenne, ni Moeding, ni leurs assistants n'y sont parvenus. « Découvert » est peut-être trop dire. Il s'agit en vérité d'un aveu spontané de Konrad Beiters qui en cette occasion a reconnu être un ancien nazi, seule qualité qui lui vaille probablement de n'avoir jusqu'ici attiré l'attention de personne. Jadis chef politique à Kuir, il avait alors pu faire quelque chose pour la mère de Mme Woltersheim. Quant au pistolet, c'était son arme de service d'alors qu'il avait cachée mais qu'un jour, bêtement, il avait montrée à Else et Katharina. Une fois même, ils étaient allés tous les trois s'exercer à tirer avec dans la forêt. A cette occasion Katharina, qui s'était révélée excellente tireuse, lui avait raconté que jeune fille et alors serveuse à la société de tir, elle s'était vu parfois autoriser à brûler quelques cartouches. Enfin le samedi soir Katharina lui avait expliqué qu'elle éprouvait le besoin d'être enfin seule, mais que ne pouvant retourner dans son appartement qui lui était devenu insupportable elle le priait de lui confier la clef du sien. Ayant néanmoins passé la nuit du samedi chez Else, elle n'avait donc très certainement pris le pistolet chez Konrad que le dimanche, lorsqu'après le petit déjeuner et la lecture du JOURNAL DU DIMANCHE, costumée en Bédouine elle était allée au bistrot des journalistes.

58

Il nous reste quand même à donner pour finir une information un peu plus satisfaisante : Katharina a en effet révélé à Blorna comment elle en était venue à commettre son meurtre et ce qu'elle avait fait durant les sept heures ou presque séparant cet instant fatidique de celui où elle s'était présentée chez le commissaire Moeding. Nous avons la bonne fortune de pouvoir rapporter mot pour mot ce récit, car Katharina l'a couché par écrit et remis à Blorna pour qu'il puisse l'utiliser pendant le procès.

« Je ne suis allée au café des journalistes que pour y voir ce Werner Tötges de près. Je voulais savoir de quoi pouvait avoir l'air un homme comme lui, observer ses gestes, sa façon de parler, de boire, de danser... cet homme qui a ravagé ma vie. Il est exact que je suis d'abord passée chez Konrad Beiters pour y prendre son pistolet que j'ai chargé moi-même. Je m'en étais soigneusement fait expliquer le maniement le jour où nous nous étions amusés à tirer dans la forêt. J'ai attendu Tötges près de deux heures dans le bistrot, mais il n'est pas venu. Je m'étais promis, s'il me paraissait vraiment trop répugnant, de ne pas aller le retrouver chez moi pour l'interview, et c'est exactement ce qui se serait passé si j'avais pu le voir au bistrot. Mais voilà, il n'y est pas venu ! Pour me soustraire aux importuns j'avais demandé au patron — il se nomme Peter Kraffluhn et nous nous sommes connus à l'occasion de réceptions auxquelles je prêtais mon concours et où il faisait office de maître d'hôtel — je lui ai donc demandé de m'autoriser à passer derrière le comptoir pour l'aider à servir la clientèle. Naturellement au courant de tout ce que LE JOURNAL avait bien pu raconter sur moi, Peter m'avait promis de me faire signe dès que Tötges franchirait la porte. Une fois ou deux, parce que c'était le carnaval, j'ai accepté de danser, mais comme Tötges n'apparaissait toujours pas, je suis devenue extrêmement nerveuse, ne souhaitant pas le rencontrer avant d'avoir pu l'observer à loisir. A midi je suis donc finalement rentrée chez moi et mon appartement souillé, maculé, m'a fait une horrible impression. Je n'ai eu que quelques minutes à attendre avant l'arrivée de Tötges, juste le temps d'armer le pistolet et de le fourrer dans mon sac à portée de la main. La sonnerie a alors retenti et quand j'ai ouvert la porte et que je me suis trouvée nez à nez avec lui, j'ai été prise de panique car je pensais qu'il avait sonné en bas et que j'avais encore quelques minutes de répit. Mais il était monté directement par l'ascenseur, et je l'avais là en face de moi. Je me suis immédiatement rendu compte que cet homme était un salaud, un vrai salaud. Joli garçon de surcroît. Enfin, ce qu'on appelle un joli garçon... vous avez vu les photos. Il m'a lancé de but en blanc : " Alors, ma poupée, qu'est-ce qu'on fait maintenant tous les deux ? " Je ne lui ai pas répondu, j'ai seulement reculé jusqu'à dans la salle de séjour et il m'a suivie en disant : " Pourquoi me regardes-tu comme ça, ma poupée ? Tu as l'air complètement ahurie. Mais j'ai une idée : si on commençait par faire une partie de jambes en l'air tous les deux ? " Entre-temps j'avais saisi mon sac à main et voyant le type prêt à me culbuter sur le divan, je n'ai eu que le temps de penser : " d'accord pour t'envoyer toi, les jambes en l'air ", avant d'empoigner le pistolet et de tirer aussitôt sur le bonhomme. Deux, trois, quatre coups, je ne me souviens plus au juste. Vous le saurez en relisant le rapport de police. Cela dit, n'allez surtout pas croire que c'était la première fois que je voyais un homme tout prêt à me culbuter. Quand depuis l'âge de quatorze ans et même avant vous vous occupez du ménage des autres, vous y êtes plus ou moins habituée. Mais ce salaud-là ! Alors quand il a parlé d'une partie de jambes en l'air, mon sang n'a fait qu'un tour et je n'ai plus pensé qu'à le descendre. Il ne s'attendait évidemment pas à pareille chose car il m'a regardée avec étonnement pendant une demi-seconde peut-être, tout à fait comme au cinéma quand un type se fait abattre à l'improviste. Puis il s'est écroulé et je crois bien qu'il était déjà mort. J'ai jeté le pistolet à côté de lui et me suis enfuie de chez moi. Je suis descendue par l'ascenseur et immédiatement retournée au bistrot. Peter était très surpris de me voir, mon absence ayant à peine duré une demi-heure. J'ai repris mon travail derrière le comptoir mais sans plus accepter de danser. Et je n'arrêtais pas de me dire : " ça n'est pas possible, ça n'est pas vrai ", tout en sachant pourtant bien que ça l'était. Et de temps à autre Peter s'approchait de moi pour me dire : " J'ai l'impression que ton zèbre ne viendra pas aujourd'hui. " Je lui répondais alors en simulant l'indifférence : " ça m'en a tout l'air en effet ". Jusqu'à 4 h de l'après-midi j'ai versé des schnaps, tiré de la bière à la pression, ouvert des bouteilles de mousseux et servi des rollmops. Puis, sans même prendre congé de

Peter, j'ai quitté l'établissement pour aller m'asseoir dans une église toute proche où j'ai dû passer une demi-heure environ. J'y ai pensé à ma mère, à la misérable, à la maudite vie qui fut la sienne ; j'ai pensé à mon père qui passait son temps à rouspéter et à vitupérer contre tout, l'Etat, l'Eglise, les autorités, les fonctionnaires, les officiers et que sais-je encore, mais qui, dès qu'il avait affaire à l'un d'eux, se jetait aussitôt à plat ventre et c'est tout juste s'il n'en pleurnichait pas d'obséquiosité. J'ai pensé à Brettloh, mon ex-mari, à toutes ces ordures qu'il est allé débiter à Tötges, et aussi à mon frère qui en avait toujours après mon argent et qui, à peine avais-je gagné quelques marks, venait me taper pour une idiotie quelconque, une histoire de vêtements ou de motocyclette ou de salle de jeux. Et bien entendu j'ai pensé aussi au curé qui à l'école m'appelait toujours « notre petite rouge » ; je ne comprenais pas ce qu'il entendait par là et toute la classe s'esclaffait parce qu'alors je devenais rouge pour de bon. Et naturellement j'ai pensé aussi à Ludwig. Oui, j'ai dû rester là près d'une demi-heure, puis j'ai quitté l'église pour le premier cinéma venu d'où je suis presque aussitôt ressortie pour retourner dans une autre église parce qu'en ce dimanche de carnaval c'était le seul endroit où l'on pouvait trouver une certaine tranquillité. Evidemment, j'ai aussi pensé à ce type que j'avais abattu dans mon appartement. Sans regret, sans repentir. Il voulait une partie de jambes en l'air et c'est bien ce que je lui ai fait faire, non ? L'espace d'un instant j'ai même pensé que c'était lui le type qui m'avait appelée la nuit et qui n'avait cessé aussi d'importuner la pauvre Else. J'ai eu l'impression de reconnaître sa voix et songé que j'aurais dû le laisser bonimenter un peu plus longtemps pour m'en assurer, mais à quoi cela m'aurait-il servi ? J'ai ensuite éprouvé le besoin de boire un café très fort et suis donc allée au café Bekering, pas dans la salle mais dans la cuisine parce que je connais bien Käthe Bekering, la femme du propriétaire qui a suivi avec moi les cours de l'école ménagère. Käthe a été très gentille bien qu'elle eût beaucoup à faire. Elle m'a offert une tasse de son propre café qu'elle prépare encore à la manière de nos grand-mères en versant lentement de l'eau bouillante sur du café frais moulu. Mais ensuite elle s'est mise à me parler de tout le fatras qu'elle avait lu dans LE JOURNAL, avec gentillesse certes mais d'une façon qui montrait qu'elle y croyait quand même un peu. Et d'ailleurs comment les gens sauraient-ils que le tout n'est qu'un tissu de mensonges ? J'ai essayé de lui expliquer, mais elle n'a pas compris et m'a simplement demandé en clignant des yeux : " Alors tu l'aimes vraiment, ce type ? " Et j'ai répondu " oui ". Ensuite je l'ai remerciée pour le café et suis sortie dans la rue où j'ai hélé un taxi pour me rendre chez le commissaire Moeding qui avait été si chic avec moi. »

IMP. AUBIN A LIGUGÉ (VIENNE)
D. L. 2ᵉ TRIM. 1981. Nº 5867 (L 13395).